KERRI SHARP (HG.)

Gib mir mehr!

Buch

Lustvoll zeigen auch in dieser Anthologie fantasievolle Frauen, welche geheimen Sehnsüchte und Wünsche in ihnen stecken. Die hier versammelten Geschichten bieten ein faszinierendes Spektrum von allem, was Sinnlichkeit und Erotik für uns bereithalten. Ob es sich um den Priester handelt, den seine fleischlichen Gelüste plagen, um Telefonsex, der völlig neue Anregungen vermittelt, oder um die Frau, die am liebsten das gehorsame Hündchen spielt – diese Storys wecken Sehnsüchte und Begehren. Und sie erregen nicht nur bei Frauen Lust pur!

Kerri Sharp ist eine in England sehr bekannte Herausgeberin erotischer Anthologien.

Lieferbare Anthologien bei »Lady's Night«:
Gib mir alles! Scharfe Storys (36383)

Kerri Sharp (Hg.)

Gib mir mehr!

Scharfe Storys

Aus dem Englischen
von Claudia Müller

blanvalet

Die englische Originalausgabe erschien 2000
unter dem Titel »More Wicked Words«
bei Black Lace, London.

Die Copyrightvermerke zu den einzelnen Geschichten
finden sich am Schluss dieser Ausgabe.

Umwelthinweis:
Alle bedruckten Materialien dieses Taschenbuches
sind chlorfrei und umweltschonend.

1. Auflage
Deutsche Erstveröffentlichung September 2006 bei Blanvalet,
einem Unternehmen der Verlagsgruppe
Random House GmbH, München.
Copyright © der englischen Originalausgabe 2000
by the authors.
Copyright © der deutschsprachigen Ausgabe 2006
by Verlagsgruppe Random House GmbH
Umschlaggestaltung: Design Team München
Umschlagfoto: Zefa/Studio Wartenberg
TKL/MD · Herstellung: Heidrun Nawrot
Satz: Uhl + Massopust, Aalen
Druck und Einband: GGP Media GmbH, Pößneck
Printed in Germany
ISBN-10: 3-442-36433-7
ISBN-13: 978-3-442-36433-6

www.blanvalet-verlag.de

Inhalt

Einleitung

Ich freue mich, dass diese wundervolle Anthologie mit erotischen Kurzgeschichten jetzt auch auf Deutsch zu haben ist. Die Serie ist äußerst erfolgreich gewesen, was unter anderem die Verkaufszahlen von »Gib mir alles!« beweisen.

Diese Sammlung ist eine Mischung aus Fantasie, Experimentierlust und Humor, zumal viele Geschichten mit dem Thema spielerisch umgehen, vor allem Wendy Harris' »Alles kommt wieder« und Stella Blacks »Größe und andere Probleme« – ein amüsantes Porträt der kalifornischen Faszination für überdimensional vergrößerte Körperteile. »Die Rache des Kochs« verlegt das Schlafzimmer in die Küche, während »Rettet Julie!« die sündige Geschichte von Billy Washburn erzählt – einem Mann des Glaubens, der selber Rettung braucht vor der kleinen Lolita, die ihn verführt hat. Am anderen Ende des Spektrums beschwört das sensible »Einer von den Jungs« alle Gefühle des »ersten Sommers« – den wir ja alle hatten, als wir uns zum ersten Mal verliebten.

Und bitte denken Sie daran: »Gib mir mehr!« sind sexuelle Fantasien. Im wirklichen Leben denken Sie doch bitte an Safer Sex.

Einer von den Jungs

Er versprach mir, sie käme heute Nachmittag nicht mehr wieder. Und so liebten wir uns, hart und hemmungslos, als wollten wir all die verlorenen Jahre wieder gutmachen. Ich holte ihn dorthin zurück, wohin er gehörte. In mich hinein, zwischen meine Schenkel, unter meinen Körper, der immer noch schlank, aber jetzt der einer erwachsenen Frau war.

Schließlich schliefen wir befriedigt ein. Ich wachte als Erste wieder auf, und während Jamie noch döste, dachte ich an die Zeit vor zehn Jahren zurück, als wir noch unschuldig waren. Ich betrachtete sein Gesicht und erinnerte mich.

Wir waren zusammen aufgewachsen, ich und die drei Johnson-Jungen: Ben, Jack und Jamie. Sie waren Vettern und sahen einander so ähnlich, dass die Leute sie immer für Brüder hielten. Ich war nicht mit ihnen verwandt, aber damals kam es uns allen so vor. Unsere Eltern waren seit jeher Freunde, und ich wäre am liebsten auch einer von den Jungs gewesen. Aber ich war ein Mädchen.

Ben, Jack und Jamie Johnson akzeptierten mich als Kumpel; dann aber kam ein Sommer, in dem wir alle Teenager waren. In jenem Jahr war auf einmal alles anders. Wir waren am See, als Jamie, mein heimlicher Favorit von den dreien, eine beiläufige Bemerkung über meinen knospenden Körper machte. Wie üblich waren wir nackt und lagen nach dem Schwimmen am Steg in der Sonne zum Trocknen.

In den Jahren zuvor hatte ich mehr oder weniger interessiert beobachtet, wie sich die Körper der Jungen veränderten, und ich hatte schon bemerkt, wie sie erwartungsvolle Blicke auf meinen schlanken, unterentwickelten Körper warfen. Aber Jamies Kommentar traf mich überraschend. »Sam!«, schrie er, dass es über den ganzen See schallte. »Sam! Du hast ja Titten!« Es klang regelrecht anklagend.

Er machte mich so verlegen, dass ich ins Wasser sprang und hastig an Land schwamm. Mein Gesicht brannte vor Scham, und die Röte schien sich auf meinem gesamten nassen, nackten Körper auszubreiten. Danach schwamm ich nie wieder nackt mit ihnen.

An jenem Nachmittag radelte ich in die Stadt und kaufte mir einen Büstenhalter. Ich beschloss, ihn ständig zu tragen, sogar nachts, wenn ich schlief.

Die Jungen schwammen natürlich weiter nackt und neckten mich nur ab und zu, weil ich einen schwarzen, hochgeschlossenen Badeanzug trug, den ich im Schrank meiner Mutter gefunden hatte. Ihnen war ihre Nacktheit nicht peinlich, und sie alberten und spritzten im Wasser herum, auch wenn sie wussten, dass ich sie beobachtete.

Wenn ich sie anblickte, regte sich bei mir etwas zwischen den Beinen, vor allem wenn ich Jamie anschaute, den jüngsten der Vettern, der nur ein paar Wochen älter war als ich. Das Gefühl war nur schwer zu ignorieren, aber meine neu entdeckte Schüchternheit unterdrückte es. Eines Nachmittags versuchte ich, an etwas anderes als die Jungs zu denken, und hatte mich mit einem Buch in das alte Baumhaus zurückgezogen, in dem wir als Kinder immer gespielt hatten. Trotz der Hitze trug ich meinen BH unter dem Kleid.

»Sam?« Das war Jamies Stimme.

»Ich bin hier oben. Komm rauf.«

Seine zerzausten Haare erschienen in der Türöffnung, gefolgt von seinem gebräunten Körper. Er trug lediglich verblichene Khaki-Shorts.

»Hast du was gegen ein bisschen Gesellschaft?«, fragte er. Ich wies auf das freie Kissen und widmete mich wieder meinem Buch.

Friedlich schweigend lagen wir da, bis seine Stimme meine Gedanken durchbrach.

»Sam? Sam, kann ich dir meinen Schwanz zeigen?«

Ich setzte mich auf, und da ragte Jamies kurzer, dicker Penis schon aus seiner Hose.

»Fass ihn an, Sam. Nimm ihn in die Hand.«

Zögernd streckte ich die Hand aus und umfasste das warme, feste Fleisch. Er wurde steif unter meiner Berührung. Zwei, drei Mal glitten meine Finger auf und ab, und schon schoss ein Strahl Sperma heraus. Zu Jamies Entsetzen musste ich kichern, und verlegen flüchtete er aus dem Baumhaus. Aber schon bald wurde aus diesem ersten Treffen ein regelmäßiges Ritual. Auch Jamie wollte mich anfassen, aber ich ließ nicht zu, dass seine Hände meine bloße Haut berührten.

Wir wussten, dass wir mit dem Feuer spielten.

In jenem Sommer waren wir alle sechzehn, nur Ben war schon siebzehn. Und ich wurde eigentlich erst Mitte Juli sechzehn. Aber wir waren alle vier im selben Alter, und wir waren unzertrennlich. Bis Margaret auftauchte. Da waren wir auf einmal zu fünft, und eine wilde Lust erwachte.

Zwei Tage vor meinem sechzehnten Geburtstag wartete ich besonders ungeduldig auf mein Treffen mit Jamie im Baumhaus. Dieses Mal hatte ich mir vorgenommen, meinen Büstenhalter für ihn auszuziehen; und ich glaubte mich damit zum Äußersten bereit.

Aber genau an jenem Nachmittag trat Margaret in unser Leben, und mit einer nachlässigen Bewegung ihrer sexy Hand machte sie die unschuldige Erforschung unserer Sexualität zunichte. Sie kam im Auto mit ihrer Mutter, einer Freundin von Mama aus College-Zeiten, und sie war noch nicht ganz aus dem Wagen gestiegen, da waren wir schon Feindinnen. Kunstvoll baute sie sich vor den drei Johnson-Jungen auf. »Hi, Jungs!«, sagte sie. »Na, wir werden wohl diesen Sommer Spaß bekommen!« Mich ignorierte sie völlig.

Margaret war so kurvig und blond, wie ich schmal und dunkelhaarig war. Ich war eine von den Jungs, sie war durch und durch Mädchen.

Die Jungs standen mit gekämmten Haaren da, wie ein Empfangskomitee. Ich lehnte mich lässig an den Kühler des Autos ihrer Mutter. »Ihr seht aus wie bei einer polizeilichen Gegenüberstellung«, sagte ich.

Als sie meine Stimme hörte, drehte sich Margaret endlich zu mir um und lächelte süß. »Oh, sie ist ein Mädchen! Ich dachte, sie wäre auch ein Junge.«

Ich erstarrte vor Scham, und trotz meiner normalerweise spitzen Zunge fiel mir keine schlagfertige Antwort ein. All die Jahre hatte ich unbedingt ein Junge sein wollen, aber jetzt wünschte ich mir verzweifelt, ein Mädchen zu sein. Ich schwieg, vor allem, als Ben verächtlich schnaubte.

»Oh, das ist Sam«, erklärte er.

»Sie hält sich für einen Jungen. Immer schon«, fügte Jack kichernd hinzu.

Ich war froh, dass Jamie nichts sagte.

Margaret lachte leise. »Oh, wie süß! Ben, Jack, Jamie und Sam!« Kichernd warf sie aus ihren großen, blauen Augen einen Blick auf meinen Oberkörper, wo meine »Titten« vom Büstenhalter umschlossen wurden. Mittlerweile war er zwei Nummern zu klein. Bis zu Margarets Erscheinen hatte ich eigentlich kein Verlangen danach gehabt, meine anatomischen Unterschiede zu betonen, aber jetzt würde ich mir einen neuen Büstenhalter kaufen. Ich reckte die Brust. Ich würde es ihr schon zeigen!

Aber niemand achtete auf mich. Ich wurde knallrot und warf Jamie einen Blick zu. Selbst er grinste das blonde Wunder an. Plötzlich hasste ich sie alle, vor allem Jack und Ben, auch Margaret – und sogar Jamie. Hitzig machte ich meiner Frustration Luft. »Haltet den Mund, ihr Blödmänner!«, schrie ich wütend. »Ihr macht alles kaputt! Ihr Idioten habt ja keine Ahnung!«

»Ach, du liebe Güte«, sagte Margaret und warf ihre blonden Locken zurück. »Das ist aber eine kleine Giftspritze, was?«

Die Jungen schwiegen, ob aus Loyalität oder aus Verlegenheit war allerdings nicht zu erkennen. Ich spürte, dass Jamie mich ansah, und erwiderte seinen Blick. Sein dämliches Grinsen war verschwunden, und er wirkte so, als befürchte er, dass irgendetwas Schlimmes passieren könnte. Ich versuchte ebenfalls meine Haare zurückzuwerfen – aber sie waren natürlich viel zu kurz dazu, also drehte ich mich auf dem Absatz um und stürmte in die kühle Küche, um meine Wut mit einem Glas Limonade zu ertränken.

Den ganzen Sommer über sprach Margaret von mir nur in der dritten Person, als wäre ich nicht anwesend. Die Jungen allerdings redete sie direkt an und ließ ihre verführerischen Reize spielen, als ob sie sich auf einen Wettbewerb vorbereitete. Es reichte ihr nicht, Ben und Jack zu hypnotisieren; das gelang ihr nur allzu rasch. Sie war auch an Jamie interessiert, und alarmiert beobachtete ich, wie sie sich an ihn heranmachte. An meinen Jamie.

Allerdings hielten Ben und Jack sie die meiste Zeit über beschäftigt. Selbst eine *Femme fatale* wie Margaret konnte zwei Kerle wie den blauäugigen Ben und den großen Jack nicht ständig unter Kontrolle halten. Beide waren blond und sportlich, mit muskulösen Oberkörpern und starken Beinen. Hier auf der Farm waren sie in ihrem Element: das Land war fruchtbar, mit vielen Bäumen, einem See und Äckern. Sie waren den ganzen Sommer über hier. Was würden sie tun, wenn Jamie und ich im Herbst wieder zur Schule gingen? Würden sie hier bleiben?

Für Ben und Jack war die Farm das Paradies. Und Margaret war ihre Eva. Sie hatten allerdings noch nicht realisiert, dass zwei Adams problematisch sein könnten. Während Margaret sie mit ihren sexuellen Spielchen neckte und quälte, konnten Jamie und ich uns unbemerkt ins Baumhaus zurückziehen.

Ich war mittlerweile verrückt nach Jamies Händen, und wir machten in jenem Sommer große Fortschritte. Wir lernten viel über Masturbation und Küssen und waren einige Male kurz davor, »es« tatsächlich zu tun. Aber ich zögerte noch, weil ich in meiner Naivität glaubte, dass wir in der Falle säßen, wenn wir erst einmal »richtigen Sex« hätten.

Weil so viel Unausgesprochenes zwischen uns stand – abgesehen von meiner Zögerlichkeit, mit ihm zu schlafen, wollte ich auch, dass Jamie mit mir aufs College ging –, machten wir immer wieder Schluss. Aber noch am selben Tag waren wir meistens wieder zusammen und befummelten uns auf unsere jungfräuliche Art.

Als der Herbst nahte, wusste ich, dass ich zwei Entscheidungen treffen musste: Zum einen, ob ich Sex mit Jamie haben und unsere Liebesgeschichte festigen wollte, und zum anderen, ob ich mir einen Job besorgen sollte, mit dem ich das fürs College nötige Geld verdienen konnte. Ich fuhr in die Stadt, um mir darüber klar zu werden.

Lange dachte ich über diese beiden Fragen nach – ohne Ergebnis. Als ich nach Hause zurückkam, war es schon dunkel. Ich hielt Ausschau nach Jamie. Wir hatten an jenem Morgen wieder einmal »Schluss gemacht«, und ich wollte mich erneut mit ihm versöhnen. Als ich hinter der Farm zu den Bäumen kam, stieß ich auf Ben und Jack, die im Schein von Laternen ein neues Baumhaus bauten, das Margaret gehören sollte. Jamie half ihnen dabei und genoss die Aufmerksamkeiten der Blondine, die in engem Tank Top und Shorts um sie herumschwarwenzelte und ihnen bewundernd über die Muskeln streichelte. Ich sah deutlich die Ausbuchtung in Jamies Hose, und Eifersucht stieg in mir auf. Nur ich sollte seinen schönen Schwanz reizen können!

Margaret richtete sich schnell in dem neuen Baumhaus ein. Kaum war der Bau – eine Holzpalette mit Außenwänden – fertig, kletterte sie sofort hinauf und begann, wie ein kleiner Vogel, ihr Nest einzurichten. Bald waren auch Ben und Jack ständig dort.

Ich wusste zwar nicht genau, was in Margarets Reich vor sich ging, konnte es mir aber denken. Ich klammerte mich an Jamie, setzte meine Hände und die Verheißung meines Körpers ein, um ihn zu halten, aber es wurde immer deutlicher, dass auch er nur zu gerne gewusst hätte, was Margaret und die beiden anderen Jungen so trieben. Ben und Jack sagten zwar nicht viel, wenn ich dabei war, aber Jamie erzählten sie bestimmt von ihren sexuellen Großtaten. Mir wurde ganz heiß, wenn ich mir vorstellte, was dort ablief, und eifersüchtig beobachtete ich das Geschehen.

An dem Morgen, als ich die erste Aufnahmeprüfung fürs College ablegen musste, hatten Jamie und ich wieder einmal Streit – dieses Mal so schlimm wie noch nie. Ich wollte unbedingt, dass Jamie auch an der Aufnahmeprüfung teilnähme, aber dann fuhr ich doch alleine in die Stadt.

Es dämmerte schon, als ich nach Hause zurückkehrte, und ich sah Margaret im Mondschein am kleinen Fenster ihres Baumhauses sitzen, nackt bis zur Taille. Sie hatte die Augen geschlossen und lächelte, als ob es besonders toll wäre, sich nackt vom Mond bescheinen zu lassen.

Als ich ihre hübschen, straffen Brüste mit den rosa Nippeln sah, schluckte ich. In diesem Moment erhob sie sich und zeigte sich in ihrer ganzen Nacktheit. Verwirrt und seltsam erhitzt wandte ich mich ab und rannte ins Haus. In der Vergangenheit hatten Jamie und ich uns immer wieder sofort vertragen, wenn ich aus der Stadt zurückkam, aber dieses Mal war es anders. An diesem schwülen Augusttag suchte ich ihn erst gar nicht, sondern ging gleich zu Bett, wobei ich daran dachte, wie sehr ich Margaret hasste und wie schön ihr nackter Körper war.

Ich schlief unruhig in jener Nacht, träumte von der unbekleideten, lächelnden Margaret am Fenster ihres Baumhauses, und als ich am nächsten Morgen aufwachte, lag meine Hand zwischen meinen Beinen.

Alle außer mir waren arbeiten, deshalb verbrachte ich den Großteil des Vormittags in meinem Zimmer. Ich starrte aus dem Fenster über die Apfelbäume hinweg und las lustlos einen melancholischen Liebesroman zu Ende. Ein wenig traurig und unendlich geil, öffnete ich das Fenster und pflückte mir einen Apfel von einem der Äste, die bis ans Haus reichten. Kauend blickte ich zu Margarets Baumhaus. Es schien leer zu sein, ich war ganz alleine.

Ich beugte mich über die Fensterbank und knöpfte mein einfaches Baumwollkleid auf. Da ich weder Büstenhalter noch Höschen daruntertrug, überlegte ich kurz, ob ich es ganz ausziehen sollte, aber ein Rest von Schamgefühl hinderte mich daran. Ein Windhauch strich über meine entblößten Brüste, und ich erschauerte, als ich daran dachte, wie Margaret am Abend zuvor nackt im Mondschein gesessen hatte. In der Erinnerung daran zog ich mein Kleid über die Schultern und streichelte meine festen, kleinen Brüste.

Gerade beugte ich mich ein wenig weiter vor, um die Sonne auf meinem nackten Oberkörper zu genießen, da hörte ich plötzlich die Stimmen der drei Jungen.

Instinktiv wich ich zurück, drückte jedoch lauschend den Oberkörper an das Fensterbrett. Beim Näherkommen der Stimmen wurden meine Nippel ganz hart.

Ich hörte Schritte im trockenen Gras und unterdrücktes Kichern, fast kindisch ausgelassen. Als ich durch das Laub der Bäume spähte, bot sich mir ein unglaublicher Anblick. Meine nackte Haut begann zu prickeln, und mir stockte der Atem. Genau unter mir standen die drei Jungen mit heruntergelassenen Hosen in einem Halbkreis! Offensichtlich trug keiner von ihnen unter den verblichenen Jeans-Shorts Unterwäsche. Als sich Ben herumdrehte und ich seinen großen Penis erblickte, keuchte ich auf. Er war viel größer als Jamies!

Ob sie mich wohl gehört hatten? Alle drei waren sexuell erregt, und der Anblick erregte mich auch. Fasziniert blickte ich zu ihnen hinunter, und meine Erregung wuchs, als ich mir vorstellte, sie könnten mich hier nackt am Fenster sehen, so, wie ich gestern Abend Margaret gesehen hatte.

Aber sie schauten nicht zu mir hinauf.

Jack hatte eine ebenso gewaltige Erektion, und wieder keuchte ich auf. Natürlich hatte ich die Jungen schon nackt gesehen, aber da hatten sie nur am See herumgealbert. Und Jamies hübschen, kleinen Schwanz kannte ich ziemlich intim. Aber das hier war etwas anderes. Das hier war wirklich geil.

»Seht mich an, Jungs!«, hätte ich am liebsten gerufen, damit sie die Sommersprossen auf meinen hübschen, cremeweißen Brüsten sähen. Aber sie waren zu beschäftigt damit, Länge und Dicke ihrer Schwänze zu vergleichen. Und dann begannen sie, unter den Bäumen zu masturbieren.

Statt mich bemerkbar zu machen, sah ich zu, wie sie an sich spielten. Der Anblick entzündete eine Leidenschaft in mir, dass ich am ganzen Körper zitterte, zumal ich ja ebenfalls fast nackt war. Mir wurde so warm, dass ich mich meines Kleides vollständig entledigte und mir zwischen die Beine griff.

Wie gebannt schaute ich auf die drei erigierten Glieder und stellte mir vor, wie sie in mich eindrangen. Bebend vor Verlangen streichelte ich die Innenseiten meiner Schenkel, und ich erschauerte, als meine Finger über die Klitoris glitten. Überrascht von meiner sexuellen Erregung schloss ich die Augen und bog mich meiner Hand entgegen. Plötzlich fiel mein Name.

Höhnisch fragte Jack Jamie, ob er mich denn jetzt endlich ficken dürfe. Ich riss die Augen auf und sah, wie die beiden älteren Jungen Jamie gegenüber den Akt nachahmten, indem sie mit den Hüften stießen.

»Sie ist noch nicht so weit«, hörte ich Jamie sagen. Sein Penis wurde ein wenig schlaffer.

Die anderen beiden lachten, und Jack erwiderte: »Na, Margaret saugt mich förmlich aus. Das würde sie bei dir bestimmt auch tun, Jamie. Sie mag dich echt gern.«

Ich ließ meinen Zeigefinger zart um meine pulsierende Klitoris kreisen, als Jack fortfuhr: »Ja, ich wette, Sam hat dir noch nicht mal einen geblasen, oder?«

Jamie schwieg.

Ich kniete mich hin. Am liebsten wäre ich nackt vom Baum geklettert, hätte mich vor ihnen aufgebaut und auf der Stelle Jamies Schwanz gelutscht, aber da ich ein Feigling war, beugte ich mich bloß ein wenig weiter vor und spähte durch mein Dachfenster. Die Jungen waren quälend nahe.

Ben fügte hinzu: »Margaret bläst dir bestimmt einen. Vielleicht fickt sie dich sogar. Heute Abend besorgt sie es Jack und mir. Hast du Lust? Wir machen sie nass und bereit für dich!«

Lachend rieb Jack seinen Schwanz. Auch Jamies Penis war hart und stand.

»Margaret ist sowieso bereit, nicht wahr, Ben?«, sagte Jack.

Ben pumpte seinen Schwanz und erwiderte: »Ja, klar, Mann, Margaret ist bereit und willig!«

Jamie schwieg immer noch. Aber er packte seinen Schwanz so fest, als wollte er ihn reiben.

»Einmal«, fuhr Jack spöttisch fort, »hat sie mich auf ihrem Gesicht kommen lassen. Ein anderes Mal habe ich über ihre Titten abgespritzt.«

»Wow!«, keuchte Jamie. Seine vorgetäuschte Coolness war verschwunden, und er war offensichtlich sehr erregt.

»Lass uns doch mal sehen, wie du deinen kleinen Schwanz wichst, Jamie!«, forderte Jack.

Ben gluckste. »Margaret will dich auch ficken. Sie mag dich«, fügte er schlau hinzu.

»Genau, Jamie«, warf Jack ein. »Denk an Margaret, wenn du dir einen runterholst. Sie mag dich lieber als Sam.«

Durch die Blätter hindurch sah ich, wie Jamie seinen

Penis schneller rieb. Er würde gleich kommen! Seufzend vor Lust masturbierte auch ich schneller.

»Denk daran, Jamie«, sagte Jack. »Margaret ist bereit und willig, und sie liegt nackt auf dem Boden im Baumhaus. Sie will, dass wir sie alle ficken!«

Das Herz schlug mir bis zum Hals. Ich wollte Sex, wollte Jamie, wollte wie Margaret sein, und die Jungs sollten mir zu Füßen liegen. Immer tiefer schob ich mir den Finger in meine Spalte. Ich spürte, wie sich die Erregung in meinem Bauch ausbreitete, und Wellen der Erlösung durchliefen mich. Ich spürte es tatsächlich, obwohl ich noch Jungfrau war!

Ich schloss die Augen und schwelgte in dem luxuriös erotischen Gefühl. Als ich sie wieder öffnete, sah ich, wie Jack nach Jamies Penis griff und ihn auf und ab pumpte. Jamie schrie auf, und dann schoss das Sperma plötzlich heraus. Erneut kam ich und sank nach vorne. Meine Finger tropften von meinen Säften, und ich erschauerte.

Mein Herzschlag beruhigte sich langsam, als Jack begeistert sagte: »Jesus, Mann! Du warst ja geil wie die Hölle!«

Ich blickte hinunter. Jack hielt seinen eigenen Penis umfasst, der immer noch steif und gerötet war, und rieb sich. Auch Ben masturbierte, und innerhalb weniger Sekunden kamen beide Jungen, wobei sich jeder bemühte, weiter zu spritzen als der andere.

Alle drei keuchten.

»Mann, ich komme mir vor, als wenn ich einen Marathon hinter mir hätte«, sagte Jack.

»Das ist gut«, erwiderte Ben. »Jetzt kommen wir bei Margaret auch nicht so schnell.«

»Ja, Mann«, grölte Jack. »Komm, lass uns Strohhalme ziehen, wer sie zuerst ficken darf!« Er spielte schon wieder an sich herum, und ich fragte mich, ob sie das wohl oft machten.

»Nein, geht ihr mal«, warf Jamie ein, der ebenfalls seinen schlaffen Schwanz streichelte. »Ich kann warten.«

»Ach, hast du jetzt für die nächsten Stunden dein Sperma verbraucht?«

Jamie grinste bloß.

»Okay, Vetter«, sagte Ben. »Aber wenn du sie erst siehst, dann geht es dir wieder anders, und du wirst hart, hart, hart!«

Ich sah von meinem Ausguck oben zu, wie sie lachten und einander auf die Schultern klopften. Die Hosen hingen ihnen immer noch um die Knöchel, als sie sich mit ihren Hemden die Schwänze abtrockneten.

»Kommt, wir ziehen Strohhalme«, rief Jack und riss ein paar trockene Grashalme aus.

Der Gedanke, Sex mit Margaret zu haben, erregte sie aufs Neue, was deutlich zu sehen war, da sie sich nicht die Mühe machten, ihre Shorts hochzuziehen. Ben zog den längsten, war also als Erster an der Reihe, Jack war Zweiter, und Jamie kam als Letzter.

»Los, Jungs!«, rief Ben. »Zieht euch an. Wir müssen uns fertig machen.«

Wie gelähmt sah ich zu, wie sie ihre Schwänze wieder in den Shorts verpackten und die Gürtel zumachten. Als gingen sie zum Angeln, zogen sie alle drei los. Und Jamie mit ihnen.

Er war eben auch nur einer von den Jungs.

Ich blickte ihnen nach, wie sie durch den Obstgarten zu

Margarets Baumhaus gingen – Ben zuerst, dann Jack und schließlich Jamie. Margaret würde bestimmt mit allen dreien vögeln. Es überraschte mich nur, dass sie noch nicht mit Ben und Jack geschlafen hatte. Und jetzt auch noch Jamie. Wie üblich würde er der Letzte sein. Es sei denn, ich bekäme ihn zuerst.

Ich frage mich oft, was wohl gewesen wäre, wenn Jamie und ich uns nicht gestritten hätten. Oder wenn wir uns versöhnt hätten. Er wusste ja noch nicht einmal, wie bereit ich war, mich ihm hinzugeben.

Ich zog mein zerknittertes Kleid wieder über und knöpfte es zu. Tränen standen mir in den Augen, als ich über den Baum hinunterkletterte. Als ich den Stamm entlangrutschte, spürte ich schon wieder jenes erregende Prickeln zwischen den Beinen. Unten wischte ich mir über die Augen und schlich den Jungen hinterher. Als ich durch das Laub zu Margarets Baumhaus spähte, sah ich jedoch nur Jack und Jamie davor stehen. Sie hatten keine Hemden an, ihre gebräunten, muskulösen Oberkörper schimmerten in der Sonne. Sehnsüchtig starrte ich auf so viel männliche Schönheit.

Ich fand es seltsam, dass Margaret jemanden wie Jack, den wildesten, größten und möglicherweise auch bestaussehenden der Jungen, einfach warten lassen konnte. Das sagte einiges über ihren »Göttinnen-Status« aus. Beide Jungen standen da und verrenkten sich die Hälse, als wollten sie mitbekommen, was über ihnen im Baumhaus passierte. Von Ben war nichts zu sehen, deshalb nahm ich an, dass Jack und Jamie hier warteten, bis sie an der Reihe wären und Margaret mit Ben »fertig« wäre. Bis jetzt hatte mich noch keiner der Jungen bemerkt.

Ich sah Jack auf Jamie herunterlächeln und ihm kameradschaftlich auf die Schulter schlagen. Dann zog er sich zu meiner Überraschung plötzlich den Reißverschluss auf und holte seinen Schwanz heraus. Er nahm ihn in die Hand und zeigte damit auf seinen jüngeren Freund. Jamie ignorierte ihn.

Ungerührt streichelte Jack seinen mächtigen, erigierten Penis. Offenbar hatte er mich noch nicht bemerkt. Aber Jamie entdeckte mich plötzlich, und an der Art, wie er zusammenzuckte und die Augen niederschlug, sah ich, dass er das blonde Flittchen genauso gerne ficken wollte wie die anderen beiden. Und vermutlich war er auch schon wieder hart, jedenfalls sah ich eine Ausbuchtung in seiner Hose.

Schließlich hob er den Kopf wieder, blickte mich direkt an und straffte die Schultern. Aber anstatt zu mir zu kommen, blieb er weiter stehen und wartete, dass er ins Baumhaus klettern und die Schlampe Margaret vögeln konnte. Ich hatte die Chance verpasst, die Erste bei ihm zu sein. Ich war traurig, aber zu stolz, um etwas zu unternehmen. Brennend vor Verlangen, aber zu stolz, um den ersten Schritt zu tun.

Jack sagte etwas zu ihm, und ich sah, wie Jamie mit den Schultern zuckte. Dabei blickte er mich weiter unverwandt an.

Als Jack seinem Blick folgte und mich entdeckte, hielt er mir spöttisch seinen erigierten Schwanz entgegen.

»Na, Babypuppe, willst du zu uns kommen? Kleine Sammy?«, rief er.

Jamie sagte wütend: »Hör auf, Jack! Halt den Mund!«

Aber Jack rieb seinen Schwanz und lachte nur. »Kleine Sammy!«, johlte er.

»Lass sie in Ruhe, Jack, sonst schlage ich dich nieder«, sagte Jamie und ballte die Faust.

Jack ignorierte ihn und warf mir einen höhnischen Blick zu. »Willst du mir einen blasen?«

»Halt das Maul, Jack!« Jamie schwang die Faust, schlug aber vorbei. Als sie aufhörten zu raufen und wieder in meine Richtung blickten, war ich schon weggelaufen.

In jener Nacht lag ich brennend vor Scham und ungestilltem Verlangen alleine in meinem Bett.

Ganz früh am nächsten Morgen packte ich meine Sachen, um zu gehen. Ich wollte nur weg, irgendwohin. Aber zu meiner Überraschung war Margaret bereits wach und kam in der Küche auf mich zu. Mit finsterem Gesicht wandte ich mich ab. Sie legte mir die Hand auf den Arm, aber ich schüttelte sie ab.

»Oh, Sam«, sagte sie, »sei doch nicht so böse.«

Überrascht blickte ich sie an. Sie lächelte mich süß an und legte mir erneut die Hand auf den Arm.

»Ich habe dich gestern gesehen, Sam. Ich konnte alles durch mein Fernglas sehen. Die Jungs, die im Obstgarten mit ihren süßen, kleinen Schwänzen gespielt haben, und du am Fenster, wie du deine kleine Klit gestreichelt hast. Ich habe auch masturbiert und dabei davon geträumt, an deinen hübschen, kleinen Titten zu saugen. Ich habe an dich gedacht, als ich gekommen bin, Sam.«

Ihre Hände glitten meine Schultern herunter und streiften ganz leicht meine Brüste. Ich stand da wie gebannt vor Angst und von einer Lust erfüllt, die ich nicht kannte. Sie nahm mich an der Hand und führte mich zur Treppe, ich folgte ihr stumm, als wir nach oben in ihr Schlafzimmer gingen. »Hierhin können uns die Jungs nicht nachkommen«, kicherte sie leise.

Ihre Hüften und ihr Hinterteil zeichneten sich unter ihrem pinkfarbenen Morgenmantel ab. Sie schloss die Tür und schlüpfte aus dem Morgenmantel, wobei sie ein durchsichtiges Baby Doll in der gleichen Farbe enthüllte.

»Zieh dich doch auch aus, Sam«, schlug sie vor. »Du musst doch hier drinnen nicht so dick angezogen sein.«

Ich war so verzaubert von ihrem Körper, der ganz anders war als meiner, dass ich mich nicht bewegen konnte.

»Na, komm«, fügte sie ungeduldig hinzu und begann, mir das T-Shirt über den Kopf zu ziehen und den Büstenhalter zu öffnen. Kurz umfasste sie meine »süßen kleinen Titten« mit ihren weichen Händen, dann wiederholte sie: »Jetzt zieh dich endlich aus!«

Meine Nippel hatten sich bei ihrer flüchtigen Berührung aufgerichtet. Zitternd vor Erregung stieg ich aus meinen Shorts, dabei meine Unterhose enthüllend, die nach Margarets Standard sicher nur zweckmäßig war.

Wie gebannt starrte ich auf unser Spiegelbild. Margaret stellte sich hinter mich, schob eine Hand in den Bund meiner grauen Unterhose und sagte: »Du solltest besser einen Stringtanga tragen, Sam.« Zärtlich glitt ihre Hand über mein Hinterteil. »Du hast hübsche Hinterbacken und solltest deinen Hintern viel mehr zeigen.« Sie griff tief in die Unterhose hinein. »Hübsch und fest«, erklärte sie.

»Tanzunterricht«, erwiderte ich, ohne nachzudenken.

Im Spiegel sah ich, wie die Blondine – gestern meine

Erzrivalin – sich umdrehte, den Saum ihres Nachthemdchens hob und einen pinkfarbenen Tanga enthüllte.

»Siehst du, wie sexy das aussieht?«, sagte sie und wackelte leicht mit den Hüften. Der Tanga kroch in die Ritze zwischen den beiden runden Halbkugeln ihres Hinterns.

»Oh«, sagte ich mit ersterbender Stimme.

Sie lachte. »Leg dich hin«, befahl sie mir und streifte mir rasch die Unterhose herunter. Ich kam mir vor wie in einem Traum, als sie sich ebenfalls nackt auszog und sich zu mir legte.

Sie leckte mich; sie rieb mich; sie fickte mich mit dem Finger und brachte mich zum Orgasmus. Was soll ich sagen? Eine Frau entjungferte mich, als wäre ich einer von den Jungs. Aber ich beklagte mich nicht. Wenn das lesbische Liebe war, war ich bereit dazu. Es war äußerst lustvoll.

Am nächsten Tag war sie weg, verschwunden ohne ein Wort. Unser Sommer war danach zu Ende. Wir hatten alle unsere eigenen Erinnerungen, waren aber nicht bereit, sie einander mitzuteilen, ich zumindest nicht. Vielleicht hatten wir ja auch alle das Gefühl, für Margaret nichts anderes als Trophäen gewesen zu sein.

Ich bekam einen Job in der Stadt und kam den ganzen Sommer über nicht mehr auf die Farm zurück. Eigentlich blieb ich ihr sogar viele Jahre lang fern. Ich blieb in der Stadt, arbeitete und sparte Geld fürs College. Ab und zu kamen Neuigkeiten von zu Hause. In einem Brief stand, Margaret wäre mit Ben verlobt.

Auf dem College begann ich auch, Sex mit Männern zu haben. Im ersten Jahr dort hatte ich zahlreiche Liebhaber.

Aber ich nahm das Studium ernst und ließ mich durch die vielen Verabredungen nicht allzu sehr vom Lernen ablenken. An die Daheimgebliebenen verschwendete ich keinen Gedanken, und schließlich dauerte es zehn Jahre, bis ich wieder zurückkehrte.

Bei meiner Ankunft war Ben nicht mehr da. Da sie ihn für den Erben gehalten hatte, hatte Margaret ihn als Ersten geheiratet. Sie hatten zwei Kinder bekommen, zwei blonde Mädchen, so hübsch und groß wie Ben und so goldblond und sexy wie Margaret. Als der Reichtum ausblieb, hatte Margaret Ben verlassen und Jack geheiratet. Sie bekamen zwar keine Kinder mehr, aber die Ehe hielt immerhin noch einige Jahre. Mittlerweile jedoch war auch Jack schon lange weg. Aber jetzt war Jamie da. Hier, genau neben mir.

Ich muss wieder eingedöst sein, denn ich fuhr mitten aus einem Traum hoch. Jamie schlief noch. Ich griff nach seinem Penis. Er war leicht steif. Ich setzte mich auf ihn und hielt seinen Körper fest mit meinen Knien umklammert. Als ich die Schritte auf der Treppe hörte, umfasste ich seinen dicken Schaft und richtete ihn auf mich. Die Schritte kamen näher. War Jamies Frau früher zurückgekehrt? Obwohl nicht ganz wach, hatte er mittlerweile eine mächtige Erektion, und stöhnend packte er nach meinen Hüften. Plötzlich klopfte es an der Tür. Jamie riss erschreckt die Augen auf. Ich lächelte ihn an und ließ seinen harten Schwanz zwischen die feuchten Lippen meiner Vagina gleiten. Meine Brüste hüpften, als ich mich auf und ab bewegte. Seinen Schwanz hielt ich dabei fest in mir. Er konnte mir nicht entkommen.

Wieder klopfte es, und eine Stimme rief: »James? Bist du da?«

Zehn Jahre des Wartens fielen von mir ab, als ich süß erwiderte: »Komm herein, Margaret.«

Die Rache des Kochs

Rezept
Zwei reife Melonen, nicht zu weich
Eine sehr teure Auster, mit Champagner gekühlt
Wurst (100 Prozent Fleisch)
Verschiedene Gemüse
Über Nacht ruhen lassen, dann vor dem Servieren lang-
sam köcheln.

Normalerweise schaute sich Tasha kein Frühstücksfernsehen an, aber an jenem Morgen hatte ihr altes Radio
endgültig den Geist aufgegeben. Und später wäre sie froh,
dass sie es getan hatte, denn an jenem Morgen erlebte sie
zum ersten Mal Raphael Carter, den berühmten Koch.

»Und jetzt haben wir den originellsten, bestaussehenden Koch Englands im Studio«, säuselte die Moderatorin
nach einem langweiligen Beitrag über den richtigen Bikini
für jede Frau und einem noch langweiligeren Beitrag über
Hundehaare. Tasha warf einen Blick auf den Monitor,
aber als sie den prominenten Koch erblickte, blieb sie wie
gebannt stehen. Carter wirkte so sauber in seiner weißen
Schürze wie ein frisch geschrubbter Arzt, und sein nach-
sichtiges Lächeln erreichte seine strengen, dunklen Augen
nicht ganz. Sie sah ihm zu, wie er in der Studioküche han-
tierte und mit seinen großen Füßen über Kabel stieg, und

beschloss, dass das Schicksal sie zusammenbringen würde. Er hatte bewegliche, gut zu küssende Lippen und eine sinnliche, feine Nase. Seine Nüstern blähten sich genießerisch, als er am Inhalt seines brodelnden Topfes roch. Das war ja viel besser als Radio, dachte Tasha.

Der Mann unter ihr stöhnte. Offensichtlich missbilligte er, dass sie fernsah, während sie Sex hatten. Er glaubte wohl, dass dies etwas über seine Leistung aussagte (was auch zutraf).

Ich muss Raphael Carter haben, sagte sich Tasha, und es war eher ein Versprechen als ein Traum. Sie drehte sich ständig nach dem Bildschirm um, während sie auf dem Mann auf und ab glitt. Während Carter vorführte, wie man Croque Madame zubereitete, bearbeitete Tasha ihren Bettgenossen heftiger, und das schicke, eiserne Bettgestell ächzte unter ihren Bewegungen.

»Ich wusste gar nicht, dass du so gerne Kochsendungen siehst«, warf der Mann (sie konnte sich nicht mehr an seinen Namen erinnern) zwischen zwei Grunzern eifersüchtig ein.

»Kochen ist der neue Sex«, erwiderte sie zweideutig und stieß noch härter auf ihn herab.

»Oh, Baby«, seufzte er zufrieden und wand sich in seinen Handfesseln. Sie wusste gar nicht, warum sie sich überhaupt die Mühe gemacht hatte, ihn festzubinden. Der aggressiv wirkende Mann, der sie mit seinen fünfzig Sit-ups im Studio so angemacht hatte, hatte sich als lahme Ente erwiesen, kaum dass er ihren Lederslip gesehen hatte. Er musste weg. Sie hasste One-Night-Stands – sie dauerten viel zu lang. Aber er hatte immerhin feste, zylindrische Oberschenkel und einen harten Schwanz.

Tasha hüpfte auf und ab und betrachtete dabei den Fernsehkoch. Er hatte muskulöse Arme, kräftige Schultern und eine hohe Stirn (dann wäre er doch sicher auch intelligent, oder?). Er schälte den Knoblauch, als ob er eine Frau auszöge, und legte die Butter in zarte Locken. Offensichtlich konnte er mit seinen Händen richtig arbeiten. Erstaunlich!

»An diese Nummer werde ich mich mein ganzes Leben lang erinnern«, gelobte sie. Erfreut legte der Mann unter ihr an Tempo zu, und sie hatte schon Angst, er käme zu früh. Das taten sie immer. Ihr Finger glitt in ihre Nässe, und sie begann zu masturbieren. Sie konnte es viel besser als jeder Mann und rieb ihre Klitoris, während er sie fickte. In ihrer Fantasie war sie bei Carter. Er packte sie, drang in sie ein. Ihre Muschi war ganz nass für ihn. Fick mich, fester, härter. Tiefer, schneller, mehr, keuchte sie ihm ihre Befehle ins Ohr. Sie stellte sich vor, wie sie auf Carters hübsches Gesicht glitt, seine feine Nase mit ihrer feuchten Spalte bedeckte und wie seine Zunge um ihre Klitoris glitt. Sie würde ihn hier ficken, ihn am Bett festbinden und ihn als Geisel nehmen. Fest rammte sie ihren Hintern auf den Mann unter sich und spürte, wie seine Eier an ihre Ritze klatschten. Sie stellte sich Carters Gesicht vor, verzerrt im Augenblick des Orgasmus. Der Mann brüllte triumphierend auf und stieß ein letztes Mal in sie hinein, bevor er sich entlud.

In den nächsten Tagen wollte Tasha keinen Sex mehr ohne Frühstücksfernsehen mit Raphael Carter. Sie hatte früher schon bestimmte Bedürfnisse gehabt – als sie geglaubt hatte, ohne Spiegel oder Handschellen nicht zum

Orgasmus kommen zu können –, aber noch nie hatte ein anderer Mann dabei eine Rolle gespielt, und schon gar nicht ein berühmter Koch. Während er seine Gerichte im Fernsehen zubereitete, wälzte sie sich mit ihrem Gespielen im Bett, und Carter wurde zum integralen Bestandteil ihrer morgendlichen Routine.

Einer der Männer, mit denen sie aufwachte, sagte, sie könne sich Carter gerne anschauen, das sei ihm egal, aber er wollte den Ton leiser stellen. Er nahm Tasha von hinten – was sie gern hatte, dann brauchte sie wenigstens nicht ihre grimassierenden Gesichter zu sehen –, und er schlug sie auf die Flanken und trieb sie an wie ein Pferd. Tasha achtete kaum auf ihn, so versunken war sie in Carters Gesicht: die glatte Fläche zwischen Augenlid und Augenbraue, die Form seiner Wangenknochen und seine nackten Finger. Wie würde ihr Schamhaar wohl aussehen, wenn er es sich um den Finger wickelte? Der Mann hinter ihr hatte rhythmisch in sie hineingepumpt, sodass ihr eisernes Bettgestell ächzte und quietschte, und als sie kam, heulte sie wie ein Hund. Es war gut gewesen, aber nicht so gut wie sonst, wenn Carters Stimme den Akt begleitete. Sie liebte es, wie Carter seine Untergebenen anblaffte, und sie liebte es, wie sie ihm gehorchten, als ob er ein Herrscher wäre und sie seine Sklaven. Sie brauchte nur seine Stimme zu hören, und schon flossen die Säfte in ihrer Muschi, und wenn sie dann ihre geschwollenen inneren Schamlippen berührte, kam sie auf der Stelle.

Tasha liebte starke Männer, das war immer schon so, nur leider blieben sie nie lange stark. Nach kürzester Zeit verwandelten sie sich in mitleiderregende, sabbernde Idioten, die viel schwächer waren als sie. Von ihr sagte man, sie sähe gut aus – niemals wurde sie als hübsch oder süß bezeichnet –, und es schien ihr, als ob die Leute damit nur ihr Äußeres meinten, so als ob sie innerlich nicht gut wäre (was durchaus zutraf). Wenn Männer sagten, sie sei gut im Bett, erwiderte sie lachend darauf nur: »Wen interessiert das schon?« Jedenfalls solange sie es zweimal am Tag bekam (ohne ihre Kontaktlinsen rauszunehmen). Die Männer brauchten dabei nichts zu tun, wenn nur ihre Schwänze gesund waren, ihr Atem frisch roch und sie nicht zu lange da blieben. Sie war praktisch veranlagt, jeder brauchte Sex. Und jetzt, wo sie Raphael Carter gesehen hatte, hatte sie auch eine Fantasie.

Es war unmöglich, einen Tisch in Carters Restaurant zu bekommen, wenn man nicht schon im letzten Jahrtausend gebucht hatte oder wie Tasha jemanden kannte, der »in« war. Sie ging mit drei Freundinnen dorthin, um Sylvies Scheidung zu feiern. An diesem Abend war im Restaurant noch mehr los als sonst, und Lily erzählte Tasha, es finde irgendein wichtiges kulinarisches Ereignis statt, sie wisse allerdings nicht genau, welches. Als der gut aussehende, junge Kellner ihnen weitere Getränke brachte, glitt Tashas Hand hinten an seine Hose und umfasste seine wohlgeformten Pobacken. Sofort bildete sich vorne an der Hose eine Ausbuchtung, die leicht gegen das Tischtuch klopfte, wie eine Welle am Kai. Zu einfach, dachte Tasha bedauernd.

Die Freundinnen forderten einander oft heraus. »Trau dich, aufzustehen und zu einem Mann in Begleitung seiner Frau zu sagen ›Du hast mein Höschen gestohlen‹.« Lily hatte heute Abend vorgeschlagen, dass diejenige, die mit dem arroganten Fernsehkoch spräche, eine Flasche Champagner bekäme.

»Ach, das ist doch nichts«, setzte Tasha noch eins drauf. »Wer ihm einen bläst, bekommt eine Magnum.«

Sie anderen brachen vor Lachen fast zusammen, aber Tasha erklärte, sie meine es ernst. Sie würde in die Küche eindringen, sich an ihn heranmachen und ihn auf der Stelle vernaschen. Wie sollte er denn einem so heißblütigen Fan seiner Kochkunst widerstehen?

»Na, los«, riefen ihre Freundinnen. »Wetten, dass du es nicht schaffst?«

Sie trat durch die Schwingtüren. Das grelle Licht in der Küche war ein Schock nach dem Kerzenschein und den wenigen Lampen im Lokal. Zwei Leute rannten mit Tellern an ihr vorbei, jemand schrie ihnen etwas hinterher. Die Küche war voll mit Menschen bei der Arbeit. Sie blickten sie neugierig an, widmeten sich aber dann sofort wieder ihrer Tätigkeit.

Dann sah sie ihn, den Fernsehkoch, mitten in der Küche. Er wirkte schlanker als im Fernsehen, aber ebenso charismatisch. Wütend verzog er das Gesicht wie ein Kleinkind in der Trotzphase. Jesus, er war ein Diktator. Sie spürte, wie sie bei seinen Kommandos feucht wurde.

»Mach es so.«

Es gefiel ihr, wie seine Assistenten um ihn herumwimmelten, wie Ameisen, die mit heißem Wasser übergossen worden waren.

»Wie oft muss ich es dir eigentlich noch sagen?«

Was für ein Mann!

»Was glaubst du, was du da tust? Das ist doch kein Salat! Wo bleibt die Leidenschaft?«

Tashas Klitoris richtete sich auf, bereit, sich ihm entgegenzurecken.

Dann begann er, auf eine Frau einzureden, die ihm mit einer intimen Geste die Schulter tätschelte und ihm viel Glück wünschte.

»Schon wieder ein Fan, Raphael«, fügte sie hinzu und nickte Tasha wissend zu, als sie die Küche verließ.

»Wohl kaum«, sagte Tasha. Freundlich erwiderte sie das Lächeln der Frau.

»Kenne ich Sie?«, fragte Carter.

Tasha trat so dicht an ihn heran, dass er ihr Parfüm riechen und ihren Atem auf den Wangen spüren konnte. Er hatte sich nicht rasiert, und auf seinem Kinn wuchsen bläulich schwarze Stoppeln. Sie fuhr mit der Hand über seinen geäderten Handrücken.

»Sie möchten mich gern kennen lernen.«

»Wow!« Er zog seine Hand weg und fuhr sich damit durch die zerzausten Haare. »Wer sind Sie?«, fragte er. Sie sah, dass er schwitzte.

»Ich bin…«

Aber seine Assistenten hatten sich vor ihm aufgereiht wie Schulkinder, um ihm ihre Kreationen zu zeigen, und er wandte sich von Tasha ab, um sie sich anzuschauen. Dreh mir nicht den Rücken zu, dachte sie empört. Aber es versetzte ihr zugleich einen Adrenalinstoß; endlich war sie auf einen gleichwertigen Gegner gestoßen!

»Ich will dich!«, sagte Tasha rasch, als er sich wieder nach ihr umschaute.

»Ich… ich fühle mich geschmeichelt.«

Sie ergriff seinen Finger, steckte ihn sich einfach in den Mund und umspülte ihn mit ihrem warmen Speichel. Lust und Verlangen huschten über sein Gesicht, aber plötzlich drehte er sich wieder um, wobei der Finger natürlich herausrutschte, und sagte zu einem seiner wartenden Lakaien: »Du brauchst mehr Sauce! Konzentrier dich!«

Tasha räusperte sich.

»Ich will dich jetzt.«

»Ich muss arbeiten, aber …«

»Kein Aber.«

»Dann tut es mir Leid.« Er streifte sich Ofenhandschuhe über und fing an, Bleche in den Backofen zu schieben. »Mach einen Termin mit dem Manager. Ich gehe morgen oder übermorgen mit dir aus.«

»Ich will dich aber jetzt.« Sie ließ ihren Finger über seinen Brustkorb gleiten und suchte den Nippel. Wenn sie ihn schon nicht überreden konnte, dann vielleicht seine empfindliche Aureole.

»Ich kann jetzt nicht.« Schmollend verzog er das Gesicht.

Seine Einstellung gefiel Tasha nicht. Stark war ja gut, aber so viel Widerstand war seltsam. Seine Nippel zeichneten sich unter der Baumwolle der Schürze ab. Sie wartete ungeduldig.

»Du bist reizend, und ich möchte nicht unhöflich sein, aber heute ist wirklich ein wichtiger Abend für mich. Die Richter wollen darüber entscheiden, ob ich meinen dritten Stern bekomme.«

Wut stieg in ihr auf. Sag nicht nein zu mir, kein Mann sagt nein zu mir, dachte sie. Ihr Vater war gegangen, als sie neun war, er hatte ihre Mutter wegen einer anderen Frau verlassen. Nie wieder! Ich verlasse die Männer, nicht umgekehrt.

Wenn sie ihr Bein hob, konnte sie ihre feuchte Muschi an ihn drücken.

»Okay, aber bevor ich gehe …« Verführerisch lehnte sie sich an die Theke und zog ihn an sich. Sie küssten sich. Seine Lippen fühlten sich noch besser an, als sie gehofft hatte. Sie konnte sich unmöglich jetzt zurückziehen. Sie leckte seine Unterlippe und hob seine Hand an ihre Brust. Fühl mich, du Bastard, und dann sag mir noch mal, ich soll mit dem Manager einen Termin vereinbaren! Sie spürte, wie sein Schwanz steif wurde, aber er schob sie trotzdem weg.

»Jetzt nicht, hab ich gesagt«, sagte er ungehalten. Die Assistenten blickten sich verstohlen grinsend nach ihnen um.

Er wich zurück. Fast hatte sie ihn verloren, und das, nachdem sie ihm im letzten Monat so eifrig zugesehen hatte. Das durfte nicht sein!

»Ich verstehe etwas davon – von den Richtern, meine ich.« Tasha berührte ihn am Arm.

»Was?«

Tasha hatte das Gefühl, in Flammen zu stehen. Jetzt konnte sie nicht mehr aufhören.

»Ich möchte es dir erzählen.«

»Okay. Ich gebe dir fünf Minuten. Lass uns irgendwo hingehen, wo es ruhiger ist.« An seine Leute gewandt, fügte er hinzu: »Heute ist der große Abend, habt ihr verstanden?«

Die Assistenten nickten stumm und warfen Tasha giftige Blicke zu.

Sieg, dachte sie. Er schmeckt sogar süßer als Carters preisgekrönte Gerichte.

Der Lagerraum war weder der eleganteste noch der bequemste Ort für ein Rendezvous. Er war dunkel, voller Kisten und Regale, auf denen sich die Dosen stapelten. Aber das war Tasha egal. Sie hatte es schon häufiger in Lagerräumen, Toiletten, Treppenhäusern und öffentlichen Telefonzellen getrieben. Sie würde mit Raphael Carter vögeln, und das allein war entscheidend.

»Was weißt du über den Michelin?«, fragte er direkt.

»Ich weiß vieles.« Tasha ließ ihre Hand über seinen Brustkorb gleiten, bis sie an seinen Hosenbund gelangte.

»Werden sie mir einen Stern geben?«, drängte er.

Sie öffnete seinen Reißverschluss, und sein steifer Schwanz sprang ihr in die Hand. Er richtete sich bereits auf, war aber noch nicht hart genug.

»Was weißt du?«, zischte er.

»Ich gebe dir den Stern, wenn du ein guter Junge bist«, flüsterte sie.

»Was?« Seine Stimme klang schon schwächer.

»Ich will dich nur berühren.«

»Nicht«, sagte er und versuchte zurückzuweichen, aber sie hatte ihn schon gegen den Schrank gedrängt. Sie umfasste seinen steifen Penis mit den Lippen, und er wurde noch härter.

»Lass mich in Ruhe«, bat er, und ihr war klar, dass dies sein letzter Versuch war. Das war das jungenhafte Flehen, dem keine Frau widerstehen konnte. Aber sie wusste, was es bedeutete. Sie wusste, was das Beste für ihn war. Sie leckte an seinem samtigen Schaft auf und ab und schob dabei die Vorhaut immer wieder herunter. Die Eichel wurde schlüpfrig von ihrem Speichel, und ihre suchende Zunge drang in das kleine Loch auf der Spitze.

»Hör auf!«, zischte er mit schwacher Stimme, aber sein Schwanz sagte etwas anderes. Ein kleiner, weißer Tropfen erschien oben auf dem Schaft, und einen flüchtigen Moment lang war sie enttäuscht, dass er nicht mehr kämpfte.

Verstohlen ließ sie ihre Hand in ihr Höschen gleiten. Sie war nass, und ihre Klitoris pochte. Sie vergaß die Welt draußen vor dem Lagerraum, vergaß ihre Freundinnen, die auf ihre Geschichte warteten, die Köche, die in der Küche hackten und brieten. Sie konzentrierte sich nur auf seinen Schwanz, auf die seidig weiche Haut um seine Härte, und natürlich auch auf ihre Möse.

Schließlich raffte sie ihren Rock hoch, stieg aus ihrem Höschen und richtete sich auf. Sie dirigierte ihn so, dass er in sie eindrang. Er seufzte leise, sagte jedoch nichts. Sie musste alle Arbeit tun, er war völlig passiv, wie ein Zuschauer. Das gefiel ihr. Sie kam sich vor wie ein großer, harter Mann, der seine eigene Lust über alles stellte. Manchmal wünschte sie sich ohnehin, ein Mann zu sein: Sie wollte auch so ficken können, es war sicher wesentlich aufregender, als es ihnen zu besorgen.

Sein Penis glitt fügsam an den richtigen Ort. Er füllte sie vollkommen aus. Sie bewegte sich heftig, sodass sich ihre Klitoris an seinem Schwanz rieb. Rhythmisch ließ sie die Hüften kreisen und spürte, wie er in ihr wuchs. Spritz ab, Carter, dachte sie.

»Fick mich«, keuchte sie, aber er hielt ihr sofort den Mund zu. Es waren Leute in der Küche, Richter im Lokal, Sterne, die er bekommen wollte: Vergiss das bloß nicht. Sie presste sich an ihn. Ihre Möse zog sich zusammen, ihr Geschlecht vibrierte, und sie rieb ihre Klit wie besessen.

»Ja, du Fotze, ja.«

Als ihr Orgasmus langsam verebbte, nahm sie ihn wieder in den Mund. Eigentlich brauchte sie es nicht, und normalerweise kümmerte sie sich auch nicht darum, ob der Mann gekommen war, aber sie brauchte den Beweis für den Akt. Sein Schwanz schmeckte nach ihrer Möse. Sie saugte an ihm und nahm ihn so weit in den Mund, wie sie konnte. Und dann spürte sie, wie er sein Eiweiß in sie abspritzte. Die Fontäne der Lust war vertraut, aber jedes Mal doch wieder auf köstliche Weise anders. Und auch seine Zuckungen waren wundervoll.

»Oh, Scheiße! Der Ofen, die Eier!«, schrie er und hastete aus dem Lagerraum. Gewöhnlich bekam sie nach dem Verkehr süßere Nichtigkeiten zu hören.

Tasha kehrte an den Tisch zurück und spuckte unter den Jubelrufen ihrer Freundinnen das salzige Sperma auf den Tisch. Sie alberten noch kurz herum, ob es sich tatsächlich um Raphael Carters edlen Saft handelte, aber niemand zweifelte daran, dass sie gewonnen hatte. Die Magnumflasche gehörte ihr.

»Du Schwanzlutscherin«, pfiff Sylvie bewundernd.

Am Tag danach verkündeten alle Schlagzeilen verächtlich: DER RIESENFLOP DES FERNSEHKOCHS! Carter erschien noch nicht einmal im Frühstücksfernsehen, stattdessen eine Hausfrau aus Burnley. Sie sagte, sie mache seit vierzig Jahren Soufflé, aber eine solche Katastrophe habe sie noch nicht erlebt.

Bob war ein mächtiger Mann, aber langweilig. Als er Tasha erklärte, er werde sie in das beste Restaurant in der

Stadt ausführen, wusste sie gleich, dass er mit ihr zu Carter ginge. Obwohl Carter seinen dritten Stern nicht bekommen hatte, galt er bei Leuten wie Bob immer noch als angesagtester Koch.

Bob bestellte Wein und schlüpfte aus seinen Mokassins. Von da an betastete er mit seinem Fuß aufs Angenehmste Tashas Schritt. Sie tranken viel, und als Carter in der Schwingtür auftauchte, waren sie gerade bei den Hors d'œuvres angelangt. Als er Tasha erblickte, zerrte er sie vom Stuhl hoch. Seine Augen blitzten wie Messerklingen, und Bob schlüpfte nervös wieder in seine Schuhe.

»Wegen dir habe ich den Stern verloren«, brüllte Carter.

»Und wenn schon«, erwiderte Tasha. »Du bist ja keiner von den Heiligen Drei Königen.«

Er zerrte sie mit sich, quer durch die Küche, und einen Moment lang glaubte sie, er wollte sie küssen. Vielleicht hatte er sich ja in ihre aggressive Art verliebt, das ging vielen Männern so. Sie schloss die Augen. *Ja, küss mich, ich weiß, dass du mich willst.* Sie schürzte die Lippen. Tatsächlich küsste er sie, aber dann biss er zu. Sie schmeckte Blut. Also hatte er sich nicht in sie verliebt. Er drängte sie so zurück, dass sie gegen die Arbeitsplatte gepresst wurde. Ohne viel Umstände hob er sie hoch und setzte sie dort ab. Um sie herum ging das geschäftige Treiben in der Küche weiter.

Er riss ihr die Beine auseinander und schlang sie sich um die Taille. Dann drückte er sie in eine halb liegende Position und schob ihren Rock hoch, sodass ihre Schenkel entblößt waren. Ihr Spitzenhöschen verdeckte kaum ihre Schamhaare. Als sie versuchte sich aufzurichten, drückte er sie einfach wieder hinunter. Wehren zwecklos.

Grob zerrte er ihr das Höschen herunter und presste ihre Beine erneut weit auseinander.

»Nicht«, flüsterte sie schockiert. Dabei ging es ihr nicht um die Brutalität des Aktes – sie hatte sich ihr ganzes Leben lang danach gesehnt, dass jemand sie so verächtlich behandelte –, sondern um das Publikum. Um sie herum waren über vierzig Personen, und alle Welt konnte ihre Grotte sehen. Sie wäre lieber völlig nackt gewesen als nur von der Taille an abwärts – das kam ihr so demütigend vor.

Er ignorierte sie und steckte seinen kalten Zeigefinger in ihre klaffende Möse. Voller Scham spürte sie, wie cremige Nässe ihn heiß umhüllte. Fast hätte sie vor Lust aufgestöhnt, aber sie würde sich nicht so missbrauchen lassen. Sie doch nicht!

»Lass mich los!«

Seine Finger regten sich in ihrer Muschi, und ihre Klitoris richtete sich erregt auf.

»Gib es zu«, sagte er. »Du bist schuld, dass ich den Stern verloren habe.«

»Nein, bin ich nicht.«

Ihre Beine zuckten unkontrolliert. Die Vorstellung, hier in der Küche vor allen Zuschauern zu kommen, erfüllte sie mit Scham, aber sie war klatschnass da unten.

»Willst du mich?«

»Nein«, seufzte sie. Warum klang sie bloß so wenig überzeugend?

Die anderen Köche arbeiteten weiter. Sie hörte, wie Gemüse gewaschen und geschnitten wurde. Ob sie wohl eingreifen und sie retten würden?

Er zog den Finger aus ihrer Muschi und sah sich nach etwas um. Ihre Vagina prickelte.

»Lass mich in Ruhe«, sagte sie.

Er lächelte sie an, und ihr fiel wieder einmal auf, wie gut er aussah.

»Ja, sicher«, erwiderte er. »Aber zuerst ficke ich dich…«

»Nein!« Sie schüttelte den Kopf.

»Mit meinem Gemüse«, fügte er hinzu.

Tasha schwankte zwischen Erregung und Empörung. Irgendwo anders, im Lagerraum vielleicht, hätte sie ja gar nichts dagegen einzuwenden gehabt, aber hier, vor allen Leuten? Was sollten sie von ihr denken?

»Ich bringe dich um«, sagte sie. »Du Arsch.«

»Ja, Liebling«, erwiderte er. Es war ihm völlig egal. »Gleich, wenn du gekommen bist.«

Carter schnipste mit den Fingern, und eine Frau stürzte herbei. Sie hielt Gurken an die Brust gedrückt. Gurken in drei Größen: groß, sehr groß und gigantisch.

»Welche sollen wir nehmen?«, überlegte der Küchenchef laut.

Allein der Anblick erfüllte Tasha mit Abscheu, aber zwischen den Beinen brannte sie vor Sehnsucht. Mit Dildos kannte sie sich natürlich aus – schließlich war sie eine emanzipierte Frau –, aber Gurken? Für wen hielt er sie? Für die Gemüsefrau aus dem Ort? Mit Gurken konnte man doch nur eins machen: Sich die Scheiben auf die Augen legen, wenn man einen Kater hatte.

Sie zitterte schon wieder, aber er hielt ihre Beine sorgsam fest. Sein Blick wanderte zu ihrer Spalte, und gerade, als sie glaubte, er würde sie jetzt nicht mehr demütigen, spürte sie, wie er die Gurke in sie hineinstieß. Verzweifelt zappelte sie.

»Haltet sie fest!«, brüllte er. Zwei Assistenten tauchten auf und packten ihre Arme. Sie waren daran gewöhnt, ihm zu gehorchen.

»Lasst mich los, ihr Tiere!«, schrie sie.

»Jetzt sei bloß nicht so aggressiv, Liebling«, flüsterte Carter.

Die Gurke glitt aus ihrem Loch heraus und wieder hinein, und Schauer durchrannen ihren Körper. Dann führte er eine Aubergine ein. Sie wollte, dass jemand ihre Brüste knetete. Sie wollte eine Zunge in ihrem Mund, einen richtigen Fick. Bitte, lass uns nach Hause gehen, flehte sie im Stillen, und dann treiben wir es auf meinem Bett. Nicht so. Nicht hier. Nicht so schmutzig und öffentlich. Aber er führte ein Gemüse nach dem anderen ein, rieb sie damit, und als er es wieder herauszog, sahen alle den schlüpfrigen weißen Saft, mit dem es bedeckt war. Schließlich zog er das Letzte heraus.

»Ich weiß, was du für ein Luder bist«, sagte Carter. »Ich werde dir eine Lektion erteilen!« Er reichte das Bündel Spargel, das er herausgezogen hatte, seinem Assistenten. »Koch ihn.«

Seine Worte machten sie so geil, dass sich ihre Möse zusammenzog wie eine Blüte. Sie stöhnte. Ob sie aus eigener Kraft kommen konnte? Ohne etwas in sich zu spüren, ohne ihre Fantasie? Verzweifelt schaukelte sie vor und zurück. Ohne seine Finger und ohne das Gemüse fühlte sich ihre Muschi einsam und verwirrt.

»Bitte, Raphael.«

»Nenn mich nicht Raphael. Sag Sir zu mir.«

»Bitte, Sir.«

Sie spürte, wie milchige Säfte an den Innenseiten ihrer Schenkel entlangliefen. Oh Gott, so nass und geil war sie noch nie gewesen. Sie konnte jetzt nicht aufhören, nie mehr. Jemand massierte ihre Brüste. Ihre Nippel wurden hart, und sie spürte die Berührung wie einen Stromschlag, der von ihren Titten bis in ihre Muschi schoss.

»Mehr, mehr«, stöhnte sie.

Carter befahl dem Mann, ihre Titten zu saugen, und er gehorchte. Tasha hob unwillkürlich die Hüften und begann zu pumpen, als wollte sie die Luft ficken.

»Oh Gott, tu etwas. Steck irgendetwas in mich hinein, um Himmels willen!«

Und plötzlich war Carter da unten, leckte sie, und sie stand in Flammen. Wie Quecksilber schoss seine Zunge in jeden Winkel. Sie hielt seinen Kopf fest an sich gedrückt; sie würde ihn nicht mehr loslassen, sie liebte einen starken Mann. Ja, es war wunderbar, so gefickt zu werden.

Es kam ihr so vor, als wäre sie gar nicht sie selbst. In dem sich windenden Körper auf der Arbeitsplatte erkannte sie sich kaum wieder. Gott, sie musste sich zusammenreißen. So, wie sie hier lag, machte sie sich zur Idiotin, aber sie konnte nicht aufhören. Sie wollte sich diesem starken Mann völlig hingeben. Ich tue alles, was du willst, dachte sie. Sag mir, was ich tun soll, und ich tue es. Sie spreizte die Beine noch weiter, damit alle ihren Anblick genießen konnten, das dunkle Biberpelzchen und ihre nass glänzende, rosige Fotze.

»Fick mich.«

Er hob ihre Beine an und hängte sie sich über die Schultern. Dann spürte sie seine Hand an ihrem Arsch. Er knetete ihre Pobacken, und seine Hand glitt in ihre Ritze.

»Fick mich.«

Himmel, warum hielt sie nicht endlich den Mund? Sie wünschte sich, er würde sie knebeln, damit sie nicht mehr diese obszönen Wörter von sich geben könnte.

Sie wusste, was er tun würde. Sie konnte ihm nichts entgegensetzen, er war ihr ebenbürtig. Raphael Carter hatte vor, sie in jeder Hinsicht zu besitzen. Sein kleiner Finger drang in ihr Arschloch, und ein köstlicher Schmerz durchzuckte ihren Körper. Oh, die Freuden der Penetration. Und er penetrierte sie so gründlich, dass nichts unberührt blieb.

Was würden die Gäste, die sich im Lokal ihrer gepflegten Freitagabend-Konversation widmeten, wohl sagen, wenn sie wüssten, wie hier drinnen gegen alle Hygieneregeln verstoßen wurde? Sie träumte, sie wäre im Frühstücksfernsehen, und die Moderatorin sagte: »Und jetzt kommt Raphael Carter. Wollen wir doch mal sehen, wie er fickt. Und wenn Sie dieses Gericht wirklich zu etwas Besonderem machen wollen, dann schieben Sie sich den Finger ins Hinterteil.«

»Willst du mich ficken?«, fragte er.

Wusste er das nicht?

»Ja, hör nie mehr auf.«

Er legte seine Schürze ab und kletterte auf sie. Sie schlang die Beine um ihn. Ihre Klit, ihre Schenkel, ihr Anus, ihre Brüste, alles war angeschwollen und erwartete ihn. Sein Schwanz war riesig, als er in ihren feuchten Tunnel eindrang. Sie heulte auf.

»Schmutziges Mädchen!«

Oh ja, endlich! Endlich erkannte jemand, dass sie nur eine kleine Schlampe mit ihrem offenen Schlitz war. Bitte, besorg es mir, bettelte sie. Alle sollen zusehen. Sonst war das immer ihre Rolle, aber jetzt wollte sie endlich einmal, dass jemand für sie das Seil schwang und sie springen ließ.

Sie bog sich ihm entgegen, während sein Finger unablässig ihre Rosette massierte und sein Schwanz sie um den Verstand vögelte. Füll mich an mit deinem Sperma, dachte sie. Sie sah die Erregung auf den Gesichtern der Umstehenden; sie spürte, wie sie ihren Körper begrapschten. Je mehr Leute ihr zuschauten, umso besser. Irgendjemand fuhr mit dem Finger um ihre geschwollene Klitoris. Und dann kam sie. Mächtige Wellen der Lust überschwemmten sie, und dabei hatte sie gar nichts tun müssen.

An der Schwingtür stand Bob und schaute zu. Er rang seine aristokratischen Hände.

»Das ist ein interessantes Restaurant«, sagte er, als sie von der Arbeitsplatte stieg.

Schließlich saßen sie wieder am Tisch, und der Hauptgang wurde aufgetragen. Bob klapperte verlegen mit dem Besteck, während er sein seltsam schmeckendes Gemüse-Allerlei aß. Er zitterte.

»Warst du schon einmal hier?«, fragte er.

»Oh ja«, erwiderte sie atemlos, »aber so noch nie.« Zum ersten Mal an diesem Abend errötete sie. »Ich meine, es ist ein tolles Restaurant.«

Nach einiger Zeit bekam Raphael Carter seinen dritten Michelin-Stern. Er erfand sogar ein neues Gericht zu

Tashas Ehren, das er »Der schlüpfrige Eindringling« nannte. Roher Fisch mit Gemüse. Tasha ließ ihr Radio nie mehr reparieren. Aber Frühstücksfernsehen schaute sie sich auch nur noch gelegentlich an. Sie hatte viel zu tun mit der Nachmittagssendung, in der ein berühmter Gärtner zu Gast war.

MARY ROSE MAXWELL

Mutter Erde

Jake war ein Einzelgänger. Als Maler und Eremit hatte er sich ganz bewusst in die Einsamkeit zurückgezogen. Er lebte in einer Holzhütte mit zwei Zimmern und einem verrosteten Eisendach an einem wilden, verlassenen, windumtosten Strand, in einer Gegend mit extremem und unberechenbarem Klima. Die nächste winzige Ansiedlung lag zwei Meilen entfernt am anderen Ufer eines Flusses, der in den Bergen entsprang, und diesen Fluss überquerte kaum jemand, um den Strand bis zu ihm entlangzulaufen. Abgesehen von den wenigen furchtlosen Windsurfern oder Joggern, die vorbeikamen, sah er nur selten eine Menschenseele.

Jeden Morgen bei Tagesanbruch marschierte Jake die zwei Meilen zur Flussmündung und wieder zurück, um sein tägliches Trainingsprogramm zu absolvieren und den Kopf freizubekommen für seine kreativen Ideen. Er arbeitete nur bei Tageslicht, und die fertigen Bilder schickte er per Spezialkurier zu seinem Agenten in die Stadt, der sie ausstellte. Er war etabliert und beliebt bei Sammlern, sodass er ein sorgenfreies Leben führen konnte. Er hatte alles, was er brauchte, und war zufrieden.

Verschiedene Wege führten in den Ort. Manchmal nahm er die direkte Route am Strand entlang, manchmal den schwierigeren Weg durch die Sanddünen, der seine

Beinmuskeln mehr beanspruchte. Und dann gab es noch eine Abkürzung durch die Felder landeinwärts; diesen Weg benutzte er, wenn er einkaufen musste. Er war der direkteste und führte auf die Straße, wo er den Bus nehmen konnte. Wenn er doch einmal eine weitere Strecke fahren musste, nahm er seinen alten, offenen Jeep mit Vierradantrieb. Damit waren alle seine Bedürfnisse erfüllt.

Die Sonne stand schon hoch am Himmel, als Jake an diesem Vormittag relativ spät zu seinem Strandmarsch aufbrach. Das Meer war aufgewühlt und grau, die Wellen trugen kleine Schaumkronen, und es ging ein leicht böiger Wind, aber ansonsten war es ein schöner Tag. Jake mochte das Meer, weil es launisch und unbezähmbar war und die Farben sich ständig änderten. Er liebte auch das unbeständige Klima mit seinen wilden Extremen und den gewaltigen Stürmen, der gnadenlosen Sonne und der donnernden Brandung, die mal massiv und bedrohlich, und dann geheimnisvoll ruhig und glasklar war. Aber nichts hielt lange an: höchstens einen oder zwei Tage, dann änderte es sich wieder. Deshalb gab es an diesem Küstenabschnitt auch nur so wenige Orte.

Er ging an der alten Strandhütte vorbei, die zwischen den Sanddünen geduckt lag. Sie war ein paar hundert Meter entfernt, und er schenkte ihr nur einen beiläufigen Blick. Er hatte gelernt, sie als Teil der Landschaft zu ignorieren. Seit einigen Jahren hatte niemand mehr dort gelebt oder auch nur übernachtet. Sie war, wie seine Behausung, aus Holz mit einem Blechdach und einer überdachten Veranda, die, typisch für Sommerhäuser, aufs Meer blickte, spartanisch, aber komfortabel genug, wenn man sie instand hielt und pflegte. Sie war zwar noch nicht baufällig, aber die Farbe blätterte ab, und das natürliche Grau der Holzdielen war in den Dünen fast nicht zu sehen. Plötzlich jedoch blieb er abrupt stehen.

Auf einem Liegestuhl auf der Veranda saß eine Frau. Sie war offensichtlich schwanger und hatte sich entspannt zurückgelehnt, als wollte sie sich sonnen. Was sie dort wohl machte, fragte er sich. Sonst sah er niemanden, und die Hütte schien ihr zu gehören. Er war entsetzt: Die Hütte war zwar eine gute halbe Meile von seinem Haus entfernt, aber er wollte keine Nachbarn, die ihm so dicht auf der Pelle saßen, am allerwenigsten eine Familie mit lauten, frechen Kindern. Wütend starrte er sie an. Sie war ungefähr dreißig Jahre alt, und ihre langen, glatten, schwarzen Haare hingen hinten am Liegestuhl fast bis auf den Boden hinunter. Sie trug nur ein kleines Bikini-Höschen, und ihr nackter Bauch und ihre Brüste waren durch die Schwangerschaft riesig angeschwollen. Ihre Haut war dunkler als seine, allerdings nicht schokoladenbraun, sondern eher wie Zimt oder Muskatnuss. Sie war eine große Frau, majestätisch und kräftig, und sie wirkte ein wenig wie die Göttin Cybele, deren üppige Fruchtbarkeit überall in Griechenland und im Mittleren Osten dargestellt wurde.

Plötzlich wurde ihm bewusst, dass er die ganze Zeit eine halbnackte Frau anstarrte, auch wenn er weit weg war und sie ihre Augen geschlossen hatte. Er riss sich zusammen und ging rasch weiter. Als er zurückkam, war sie weg, was er mürrisch zur Kenntnis nahm. Er bezweifelte sehr, dass eine Frau in ihrer Verfassung tatsächlich hier draußen leben wollte, und als es Abend wurde, hatte er beschlossen, dass es sich wohl nur um einen Irrtum handeln konnte, der nicht wieder vorkäme.

Trotzdem drang sie in der Nacht in seine Träume ein, und das Bild ihrer reifen Fruchtbarkeit brachte zahlreiche Früchte und Lebensformen hervor. Es war ein strahlendes, üppiges und reichhaltiges Bild, das im Traum Einlass in seine Malerei fand und ihn bereichert zurückließ. Am Morgen vergaß er es wieder.

Am nächsten Tag mied er die Hütte und nahm den Weg durch die Dünen, der zwar dicht daran vorbeiführte, von dem aus man sie aber hinter den Bäumen nicht sehen konnte. Immer wieder sank er im weichen Sand ein und kam nur langsam voran. Als er oben auf der Düne angekommen war, schlitterte er rutschend und laufend wie ein ausgelassenes Kind durch die Grasbüschel und die hohen Wedel von Pampasgras. Er warf den Kopf zurück, und da sah er sie. Sie stand oben an der nächsten Düne und blickte aufs Meer. Ihre Haare hingen ihr wie ein glänzender, schwarzblauer Schleier über den Rücken, und der Wind presste ihr leichtes, violettes Baumwollkleid fest gegen ihre schwellenden Brüste und ihren Bauch. Ihr Gesicht war der Sonne zugewandt. Sie war wie eine große, statuenhafte Juno, mit starken Muskeln und langen, kräftigen Beinen. Ihr Anblick traf ihn unvorbereitet, und sein Herz setzte einen Schlag lang aus. Sie sah elementar aus, wie ein Teil der Erde, des Himmels und des Meeres, und er wünschte, er hätte seinen Skizzenblock dabei, um die Schönheit des Augenblicks einzufangen. Eine Sekunde lang vergaß er, dass sie ein Eindringling war, und sah nur ihre einzigartige, alterslose Vollkommenheit, als ob sie ein klassisches Kunstwerk wäre, geschaffen von der

Natur. Die hohen Gräser verbargen ihn, und er blieb bewegungslos stehen und traute sich kaum zu atmen.

Sie ging ein wenig den Abhang hinunter, bis sie zu einer kleinen Grube im Sand kam. Dort hockte sie sich breitbeinig hin, wobei sie ihren Bauch mit ihren starken Schenkeln ausbalancierte, hob ihren Rock und entleerte ihre Blase. Sie pinkelte wie eine Stute, einen starken, stetigen goldenen Strahl, der geräuschvoll aus ihr herausströmte und sofort im Sand versickerte. Irgendwie verband es sie mit der Erde, als ob sie selber eine Naturgewalt wäre.

Jake war klar, dass er eigentlich wegschauen sollte. Er hatte solche körperlichen Verrichtungen immer als höchst privat betrachtet und schätzte ihren öffentlichen Anblick nicht, aber das hier war etwas anderes. Wie gebannt blieb er stehen und konnte seinen Blick nicht von ihr wenden. Ein heißer Strom ungewohnter Lust durchrann ihn, und auf einmal hatte er eine gewaltige Erektion. Es schockierte ihn, und er schämte sich auch, weil er sich nicht erinnern konnte, dass er jemals so hart gewesen wäre. Physisches Verlangen gehörte schon seit einigen Jahren nicht mehr zu seinem Leben, was ihn lange nicht irritiert hatte. Es kam ihm obszön vor, dass eine schwangere Frau, die in den Sand pinkelte, ihn erregte. Aber sie war auch großartig – wie Mutter Erde höchstpersönlich. Jede ihrer Bewegungen strahlte robuste Sinnlichkeit aus, und zum ersten Mal in seinem Leben fühlte er sich klein und allein. Verlangen durchschauerte ihn, ein plötzliches Bedürfnis, von ihr aufgenommen und in ihrer Wärme geborgen zu werden. Er sehnte sich danach, mit ihr zu verschmelzen und in ihrem fruchtbaren Leib wiedergeboren zu werden.

Verwirrt und aufgewühlt ging Jake nach Hause und begann wie unter Zwang zu malen. Alle Bilder stellten sie dar, und einige Tage lang dachte er ununterbrochen an sie und fand keine Erleichterung. Er erkannte sich nicht mehr wieder. Prüfend betrachtete er sich im Spiegel. Wer bin ich, rätselte er. Wer blickt mich da an? Er betrachtete sich so objektiv wie möglich. Er sah einen großen, schlanken Mann, wettergegerbt und wie gemacht für diese wilde Landschaft. Die Muskeln an seinen langgliedrigen Armen und Beinen waren fest und deutlich ausgebildet, seine braunen Locken waren an den Spitzen blond von der Sonne und fielen ihm zerzaust in das gebräunte Gesicht. Das feine Vlies auf seiner Brust, seinen Armen und Beinen war hell, und sein erigierter Schaft, der sich zum Nabel emporreckte, war lang und stark. »Na ja«, sagte er spöttisch zu sich selber, »viel ist es ja nicht, aber zumindest ein Mann.« Er überlegte, was es bedeutete, ein Mann zu sein, und dachte dabei an die Frau. Sie waren wie zwei Hälften eines Ganzen, und das ungeborene Kind in ihr ergab drei. Plötzlich sehnte er sich danach, Teil dieser Gesamtheit zu sein.

Der Schöpfungsakt, der an ihrem Körper sichtbar war, hatte seinen Hunger geweckt. Ihn verlangte nach ihrer Weiblichkeit und Empfänglichkeit, die sich in ihrem schwellenden Bauch so deutlich ausdrückte.

Resigniert seufzend umschloss er seine Erektion mit den Fingern. Er hatte seit Jahren nicht mehr masturbiert, und er kam schnell und heftig. Für einen kurzen Augenblick empfand er ein Gefühl der Befriedigung, als das dicke, weiße Sperma über seine Hand spritzte, aber sofort darauf fühlte er sich leer und beraubt.

Eine Woche später ging er wieder an ihrer Hütte vorbei am Strand entlang. Es war Gezeitenwechsel, und er achtete darauf, möglichst nahe am Wasser zu laufen, damit er die Hütte nicht sah. Aber dann bemerkte er jemanden im Meer schwimmen. Sie ließ sich träge auf dem Rücken treiben, den Bauch emporgereckt. Die Wellen waren relativ sanft, und Schaum kräuselte sich auf dem weißen Sand. Anscheinend musste er ihr einfach begegnen. Er tat jedoch so, als hätte er sie nicht gesehen, und ging einfach weiter. Plötzlich hörte er jedoch einen Schrei, und als er sich umdrehte, sah er, wie sie im Wasser um sich schlug. Ihre Hilferufe wurden von den Wellen erstickt.

Da er wie üblich nur seine Strandshorts trug, rannte er ins Wasser, schwamm zu ihr und zog sie ins Flache.

»Was ist los?«, keuchte er.

»Ich hatte einen Krampf«, erwiderte sie spuckend, »in beiden Waden. Oh, Mist! Drücken Sie mal meine Zehen fest zurück.« Sie setzte sich ins flache Wasser, und er presste ihre Füße gegen seine Schenkel. Sie ächzte und fluchte wie ein Seemann. Es amüsierte ihn, dass sie über ein so großes Repertoire verfügte, aber irgendwie kam es ihm auch ganz normal vor.

»Au! Oh, verdammte Scheiße! Oh, Scheißdreck! Aua! Blöder Scheißkrampf! Reib sie! Reib sie fest!«

Rasch rieb er beide Füße warm, damit das Blut wieder zirkulierte, während er sich die Flut unflätiger Schimpfwörter anhörte. Als sie schließlich schwieg, ließ er ihre Füße zögernd los. Erst da bemerkte er, dass sie splitternackt war. Mit ihren langen Haaren, die wie ein Schleier in die Brandung hingen, ihrem Bauch, ihren schwellenden

Brüsten und ihrem dicken, schwarzen Busch sah sie aus wie eine Meeresgöttin. Er war nicht erregt. Er war hingerissen und bereit, sie anzubeten.

Sie öffnete die Augen und sah seinen Gesichtsausdruck. Einen kurzen Moment lang waren sie miteinander verbunden, aber dann durchbrach sie den Zauber.

»Es passiert immer häufiger. Manchmal wache ich nachts davon auf, und dann kann ich mich nur schreiend vor Schmerz auf dem Boden wälzen, weil ich nicht an meine Waden komme. Na ja, in zwei Monaten kommt das Baby. Gott sei Dank.«

»Ich bin froh, dass ich gerade hier war, um Ihnen zu helfen«, sagte Jake. »Ich lebe da vorne in der Strandhütte. Wenn Sie etwas brauchen, rufen Sie mich einfach. Mein Name ist Jake.«

Er erhob sich rasch und ging weg, damit sie ihre Würde wiedererlangte. Er bewunderte die souveräne Art, wie sie damit umgegangen war, dass er sie in diesem verletzlichen Zustand gesehen hatte. Die Frau war großartig. Erst nach und nach kam ihm zu Bewusstsein, dass sie ihm indirekt auch mitgeteilt hatte, es gäbe keinen Ehemann. Wenn sie einen Mann hätte, bräuchte sie ja nicht alleine mit den Krämpfen fertig zu werden, und unwillkürlich hatte er darauf reagiert, indem er seine Hilfe angeboten hatte. Er hatte sein Haus noch nie jemandem geöffnet, aber jetzt war sie in sein Leben getreten.

Am nächsten Morgen sah er sie nicht, als er jedoch in seine Hütte zurückkehrte, lagen zwei noch warme Brotlaibe vor der Tür. Auf einem Zettel stand »Danke. Iona«.

Iona. Perfekt. Er hätte es vermutlich nicht ertragen, wenn sie einen gewöhnlichen Namen wie Tracy oder

Carol gehabt hätte. Aber Iona: stark, heilig und einzigartig. Der Name passte zu ihr.

Sein Verlangen nach ihr war so übermächtig, dass er nichts mehr aß und nicht mehr schlief. Er malte und skizzierte, grübelte und masturbierte jeden Tag, während er über die verschiedenen Stellungen fantasierte, in denen er sie nehmen konnte, ohne dem Baby zu schaden. Er stellte sich vor, wie sie gleichzeitig mit ihm onanierte, die Hand in ihrem dichten, schwarzen Busch, die Finger um ihre harte, kleine Knospe gelegt. Er stellte sich ihr verzücktes Gesicht vor, und als er nutzlos in die Luft abspritzte, sah er vor sich, wie sie zuckend vor Lust käme. Sein Verlangen drohte ihn seiner körperlichen und geistigen Gesundheit zu berauben, aber seine Bilder gewannen an Ausdruck und Tiefe, wie er es nie für möglich gehalten hätte. Überall in seinem Atelier lagen Bilder und Entwürfe von ihr, und er hätte ihr gern eines der Gemälde geschenkt, weil er das Bedürfnis hatte, seine geheimsten Gedanken mit ihr zu teilen. Aber Unerfahrenheit und Selbstzweifel hielten ihn gefangen, und er wusste nicht, dass es Liebe war, weil er seine Malerei nicht als Akt der Liebe ansah. Und doch wurde das Verlangen, sich ihr mitzuteilen, immer stärker.

Eines Abends nahm er das Bild, das ihm am besten gelungen war, und ging damit am Strand entlang zu ihrer Hütte. Es war ein Porträt von ihr, auf dem sie völlig nackt war, in ihrer ganzen schwangeren Schönheit. Es war ein kühnes, großes Bild, nur Farbe und Licht, und sie sah darauf überwältigend erotisch und sinnlich aus. Das war ihm allerdings nicht bewusst. Er wusste nur, dass es sein Geschenk an sie war. Wie benommen stand er auf ihrer

Veranda. Er brachte es nicht fertig zu klopfen, konnte sich jedoch auch nicht überwinden, das Gemälde einfach dort zu lassen. Unentschlossen ging er auf und ab, als sie plötzlich um die Ecke kam. Überrascht blieb sie stehen. Sie trug eine Art Kaftan aus rotem und orangefarbenem Baumwollstoff, geschnitten wie eine Tischdecke mit einer Öffnung für ihren Kopf. Ihre rabenschwarzen Haare fielen ihr offen über den Rücken. Zum ersten Mal blickte er ihr ins Gesicht. Es war ein stolzes, würdevolles, leicht hochmütiges Gesicht mit leicht indianischen, edlen Zügen. Sie hatte hohe Wangenknochen, eine schmale Nase und einen festen, großzügigen Mund. Die Augen waren schmal und durchdringend, und er verlor sich in ihrer Tintenschwärze. Ihm war, als blicke er ins Herz des Universums.

»Ich bin es nur, Jake, von nebenan«, sagte er, um sie nicht zu erschrecken.

Als sie ihn erkannte, entspannte sie sich, und die Anspannung wich einem herzlichen Lächeln.

»Was kann ich für Sie tun, Jake?«

»Ich möchte Ihnen gerne etwas schenken.« Er entrollte die Leinwand. Jetzt, wo die Sonne darauf schien, leuchtete das Bild, als ob es lebendig wäre. Es enthielt seine Seele. Lange betrachtete sie es schweigend. Schließlich, nach einer Ewigkeit, wandte sie sich zu ihm und musterte ihn. Er hatte den Blick gesenkt.

»Mein Gott«, hauchte sie, und er stellte fest, dass ihre Stimme so tief war wie die eines Mannes, weich und melodisch, wie eine Glocke. »Ich glaube, Sie kommen besser hinein.«

Sie ging ihm voraus, und es überraschte ihn gar nicht,

als er feststellte, dass die Hütte mit ethnischen Stoffen und Kunsthandwerk eingerichtet war. Ein leichter Duft hing im Raum, den er nicht genau definieren konnte, der ihn aber an Myrrhe, Patschuli und Sandelholz erinnerte. Er fand ihn sehr erotisch. Sie setzte sich auf ein großes, weiches Kissen auf dem Boden und kreuzte die Beine, sodass ihr Bauch darauf ruhte. Mit dem Rücken lehnte sie sich an die Liege hinter ihr.

»Nehmen Sie sich ein Kissen, und setzen Sie sich vor mich.«

Anscheinend war ihnen beiden nicht nach belanglosem Geplauder. Lange blickten sie einander stumm an, und er spürte, wie sein Penis wuchs, immer härter wurde und sich langsam aufrichtete. Sie strahlte Dankbarkeit und Demut aus, und schließlich sagte sie:

»Nun, Jake, wenn ich dem Bild Glauben schenken darf – und das muss ich wohl –, dann bist du an mir interessiert.«

Sein Schwanz tat einen triumphierenden Satz. Er trug Jeans und ein weißes T-Shirt, und die Erektion drückte schmerzhaft gegen seinen Reißverschluss.

Mit einer raschen, fließenden Bewegung zog sie sich das Kleid über den Kopf und saß nackt vor ihm, die riesigen, schwellenden Brüste mit den großen, dunklen Nippeln lagen auf der festen Kugel ihres Bauches. Da sie die Beine immer noch gekreuzt hatte, lag ihre Vulva, umgeben von dichten, dunklen Haaren, geheimnisvoll einladend frei. Ein Schauer durchrann ihn. Er schloss die Augen und stöhnte unwillkürlich auf.

»Was möchtest du denn gerne?«, flüsterte sie ermutigend.

Er öffnete die Augen und sah in ihrem Blick Staunen und flehendes Verlangen. Zögernd beugte er sich vor und legte die Hände auf ihren Bauch. Langsam ließ er sie über die Wölbung gleiten und erforschte jeden Millimeter. Mit dem Daumen fuhr er leicht über ihren vorstehenden Bauchnabel, und sie seufzte tief auf. Er senkte den Kopf, drückte sein Gesicht an die feste Kugel und spürte die Reaktion des Babys. Entzückt lachte er auf.

»Es bewegt sich!«, rief er.

»Natürlich bewegt es sich«, erwiderte sie. »Es lebt ja schließlich.«

»Oh Gott!«, brach es aus ihm hervor. »Du bist so schön!«

Und in diesem Moment gab sie sich ihm hin und schenkte ihm ihr Vertrauen. Sie zog den Reißverschluss seiner Jeans auf und befreite seinen harten Schwanz. Sie umfasste ihn mit den Händen und ließ sie sanft auf und ab gleiten. Als sie seine Vorhaut herunterschob und seine empfindliche Eichel mit den Fingerspitzen berührte, wäre er fast gekommen. Aber sie nahm ihre Hände weg, zog ihm T-Shirt und Jeans aus, und dann lag er neben ihr, den Kopf an ihren großen, mütterlichen Brüsten und saugte daran wie ein Baby. Er schmiegte sich an ihre weiche, schwellende Wärme und versuchte mit ihr zu verschmelzen. Gierig und geräuschvoll nuckelte er an ihren Nippeln und grunzte vor Lust. Sie lächelte über seine Gier. Er saugte, als hätte er noch nie eine Titte zwischen den Lippen gehabt und müsste vor Hunger sterben.

Sein steifer Schwanz drängte zu ihrer Spalte, aber er kam nicht dicht genug heran, weil ihr Bauch im Weg war, und er wollte vorsichtig sein, um ihr nicht wehzutun.

Sie griff nach seinem Penis und rieb ihn langsam, um seinen Orgasmus nicht zu früh auszulösen. Heißes Verlangen durchflutete sie, als er fest an ihren steifen Nippeln sog, und in ihr erwachte ein Hunger, der schon lange von anderen Regungen überdeckt gewesen war. Ihre Säfte begannen zu fließen, und sie umschlang ihn fester.

»Komm, mein Hübscher, hier entlang«, sagte sie. Sie schob ihn weg, wandte ihm den Rücken zu und präsentierte ihm ihren prachtvollen Arsch. Sie legten sich in die Löffelchen-Position, und sie stieß mit ihren Arschbacken auffordernd gegen seinen festen Schaft, der in die einladend feuchte Grotte glitt. Er presste sich so fest an ihren Rücken, dass er in ihren seidigen Haaren beinahe ertrank, und während er, zögernd zunächst, dann immer fordernder und härter in sie hineinstieß, begann sie zu stöhnen und erwiderte seine Stöße. Rasch fanden sie zu einem gemeinsamen Rhythmus, und immer wenn sein Schwanz tief in ihre samtige Nässe drang, schloss sie ihre Muskeln fest um ihn und gab ihm das Gefühl, eins mit ihr zu sein. Schließlich beschleunigten sie vorsichtig ihr Tempo, und gleichzeitig schlugen die Wellen des Orgasmus über ihnen zusammen. Es war die Vereinigung zweier gleichwertiger Kräfte, und sie führte sie in eine Dimension, in der sie miteinander verschmolzen.

Als sein Atem sich wieder beruhigt hatte, drehte er sie zu sich herum und nahm sie in die Arme, den Kopf wieder an ihre üppigen Kissen gedrückt. Er fühlte sich entspannt und glücklich – er hatte seinen Platz gefunden. Lange lag er so da, den Arm über ihren Bauch gelegt, bis sie schließlich sagte: »Du bist der Erste, seit das Baby gemacht wurde.«

»Und der Vater?«, fragte er unsicher. Er wollte kein Eindringling sein, aber sie hatte schon beschlossen, ihm ihr Vertrauen zu schenken.

»Das war nur ein One-Night-Stand im Urlaub. Es gibt keinen Vater.«

»Aber dann hat das Baby…«

»Es hat ein eigenes Leben. Und es gehört zu mir«, erwiderte sie fest.

Und zu mir, sagte eine Stimme in seinem Kopf, und er wusste, dass das stimmte. Er hatte sich nicht nur mit ihr verbunden, sondern auch mit dem neuen Leben, das in ihr wuchs, und er fühlte sich für beide verantwortlich. Sie gehörten jetzt alle drei zusammen, und das würde so bleiben. Freude erfüllte ihn, und wieder saugte er an ihrer Brust. Ein Schauer durchrann sie. Danach lagen sie lange in der Dunkelheit und lauschten dem ewigen Tosen der Wellen, die sich an der Küste brachen.

DEBBIE STANLEY

Beim Tanz

Entspannt lag sie im Federbett und beschloss, sich eine ihrer Lieblingsfantasien zu gönnen. Sollte es die mit der von weißen Pferden gezogenen Hochzeitskutsche sein, auf deren Kutschbock der weiß gekleidete Bräutigam saß, der sie in ihrem weißen Hochzeitskleid abholte? Diese Fantasie hatte sie seit der Grundschule. Sie endete damit, dass sie nach der romantischen Hochzeitszeremonie miteinander in einem weißen Bett alleine waren, sie in einem weißen Nachthemd.

Sie war immer noch unendlich unschuldig. Sogar ihre Fantasien mussten beherrscht sein. In der Fantasie mit der verlassenen Insel wurde sie ans Ufer gespült, mit ihr nur noch ein weiterer Überlebender, natürlich ein Mann. Sie träumte davon, dass er ihr ein Kleidungsstück nach dem anderen auszog, bis sie nackt vor ihm lag. Von Verlangen und Bewunderung überwältigt, liebkoste er jeden Teil ihres Körpers, von den Füßen bis zu den Knien, die Innenseite ihrer Schenkel, und dann ihr Gesicht, ihren Hals und ihre Schultern, die Brüste und ihren Bauch. Träumte sie es mit Absicht so, dass er sein Ziel nie erreichte? Zögerte sie sogar in ihren Fantasien, einen bestimmten Punkt zu überschreiten? Normalerweise war sie eingeschlafen, bis es »passierte«. In einer besonders schlaflosen Nacht wie heute würde sie sicher »die ganze Geschichte« erzählen, aber selbst dann würde das schiffbrüchige Paar vorher irgendwie heiraten. Sie beschloss, ihn einfach einen Priester sein zu lassen und dann ein spezielles Gesetz zu »erfinden«, sodass er eine Hochzeitszeremonie durchführen konnte, obwohl er selber der Bräutigam war. Und so kam es dann, dass die Hochzeitsvorbereitungen sie auch in ihrer Traumwelt so sehr beschäftigten, dass sie Lust und Leidenschaft darüber vergaß.

Es gab eine Vergewaltigungsszene, in der nichts, was geschah, als ihre »Schuld« angesehen werden konnte. Ihre Mutter bestimmte eben nicht nur ihr wirkliches, sondern auch ihr Fantasieleben. Und im wirklichen Leben gab es sogar noch mehr Einschränkungen.

»Darf ich dich küssen?«, fragte sie der Junge, mit dem sie den ganzen Abend getanzt hatte, als er sie nach Hause brachte.

Sie hob das Gesicht, ein frisches, unschuldiges junges Mädchen. Ein unschuldiger Gutenachtkuss. Er küsste wahrscheinlich ganz gut. Manche steckten einem sogar die Zunge in den Mund, schließlich war man ja schon in den fünfziger Jahren angelangt. In den Filmen wurden die Küsse wagemutiger, und man konnte sie kopieren. Wenn er sie nach der zweiten Verabredung nach Hause brachte, küsste er sie schon, ohne zu fragen, und irgendwie rutschte seine Hand in ihre Bluse. Damit begnügte sie sich eine Zeit lang, aber die ganze Zeit dachte sie: Bald muss ich ihn aufhalten. Er schob ihr den Rock hoch, was Spaß machte. Es war aufregend, aber gefährlich, und sie dachte immerzu an den richtigen Moment zum Aufhören. Schließlich konnte sie schwanger werden. Ein polnischer Emigrant, mit dem sie getanzt und der sie zu Fuß nach Hause gebracht hatte, war schrecklich erregt gewesen. Er hatte gezittert, und sie hatte befürchtet, dass er sie mit Gewalt hatte nehmen wollen, schließlich hatte sie keine Ahnung davon, wie es in osteuropäischen Ländern zuging. Sie hatte ihn jedoch zur Vernunft bringen können und war noch einmal davongekommen. Ein Lastwagenfahrer, von dem sie sich unklugerweise hatte mitnehmen lassen, war draußen vor dem Haus herumgelungert und nicht dazu zu bewegen gewesen, wegzufahren.

Es konnte also alles ein böses Ende nehmen. Man konnte ihr vorwerfen, ein Schwanzfopper zu sein oder frigide. Ein Junge konnte genug von ihr haben, weil sie sofort von Verlobung zu sprechen begann. Sich mit ihr verloben, nur um ihren Körper ein wenig erforschen zu können? Das interessierte sie nicht, und weg waren sie. Sie hatte das Gefühl, dass irgendetwas daran nicht stimmte, aber Mum hatte sie gewarnt. Die Jungen, die einen verließen, weil man ihnen nicht nachgab, waren es sowieso nicht wert. Aber, Mum, ich habe manchmal das Gefühl, das stimmt gar nicht! Ihre Willenskraft jedoch wuchs. Um sie herum verlobten sich all ihre Freundinnen, und manche verdächtigte sie, dass sie »bis zum Äußersten« gegangen wären. Aber Mum hatte ihr gesagt, wenn ein Mädchen das täte, würde der Junge sie hinterher nicht mehr respektieren und all seinen Freunden von ihr erzählen. Sie würde ihren guten Ruf verlieren, und nach einer Weile wäre sie auch ihn los. Andererseits war sie sie doch ohnehin los, während es ihren Freundinnen gelang, die Jungen so an sich zu binden, dass sie sie heirateten. Was war denn nun die richtige Antwort? Sie wollte natürlich nicht gezwungen werden – nicht wirklich jedenfalls. Allerdings würde sie auch nicht nachgeben, solange sie so höflich wären. Sie brauchte jemanden, der wahrhaft meisterhaft war. Sie musste entjungfert werden, ohne dass es ihre Schuld war, sie durfte gar nicht gefragt werden. Andererseits durfte sie auch nicht schwanger werden. Eine komplizierte Angelegenheit.

Und dann schlug Edna vor, dass sie zur Abwechslung mal zum Tanzen in die nahe gelegene Garnisonsstadt in die Horse Guards Hall gehen sollten.

Die Kapelle spielte einen langsamen Foxtrott. Ein Soldat forderte sie zum Tanzen auf. Sie kannte das Sprichwort, Tanzen sei »wie Sex, stehend zu Musik«. Sie spürte seine Ausbuchtung, als er sie fest an sich zog. Sie wich zurück. Das ging ihr zu weit. Er war jedoch nicht beleidigt, und sie tanzten drei Tänze. Dann setzten sie sich und tranken etwas mit seinen Kumpanen. Andere Mädchen saßen auf dem Schoß anderer Soldaten. Sie stellte fest, dass alle irgendwie erregt waren. Manche saßen mit strahlenden Augen da, aber unnatürlich still; andere wiegten sich vor und zurück und schauten ihrem Partner viel sagend in die Augen. Und dann hatte sie bei einem der Soldaten auf einmal schockiert den Eindruck, dass das Mädchen auf seinem Schoß auf seinem bloßen Penis säße. Der weite Rock des Mädchens ging dem Soldaten bis an die Knie, und sie konnte es sich kaum vorstellen, wie er seinen Reißverschluss aufbekommen und das Höschen des Mädchens beiseite geschoben hatte. Jetzt dachte sie, dies wäre vielleicht nicht das einzige Paar, das ein so intimes Arrangement genösse. Alle Tanzröcke waren bis über die Knie der

Männer ausgebreitet, und wahrscheinlich waren alle Höschen zur Seite geschoben, um den Penis durchzulassen. Vielleicht, dachte sie, verlor ihr Tanzpartner bei seinen Freunden das Gesicht, wenn er sie nicht dazu kriegte, es auch so zu machen. Er zog sie auf seine Knie. In diesem Moment kam der Tanzsaalbetreiber vorbei, der hinten in den Saal wollte, wo eine Gruppe von Leuten unerlaubterweise Jive tanzte. Er blickte in ihre Richtung, um festzustellen, ob auch alles in Ordnung wäre, aber selbst wenn er gewusst hätte, was sie taten, so hatte er doch keine Beweise dafür. Die Ausbuchtung des Soldaten drückte sich immer noch an ihr Kleid und mittlerweile auch zwischen ihre Beine. Sie fand es erregend. In ihrer Unschuld war ihr gar nicht klar gewesen, dass man den Penis ja im Stehen vorne spüren konnte und im Sitzen auch hinten. Ihre Muschi konnte also auf zwei Arten erreicht werden. Bei dem Gedanken floss eine feuchte Welle aus ihrer Vagina heraus.

Der Tanzsaalbetreiber wies die Jiver empört auf eine Mitteilung an der Wand hin: JIVE VERBOTEN. Sie murrten. Bis er wieder weg war, mussten sie auf den Song einen ganz gewöhnlichen Quickstepp tanzen.

Der Soldat schob seine Hand hinten unter ihr Kleid und drückte ihre Pobacken mit dem Höschen zusammen. Ihr Höschen war mittlerweile bestimmt völlig durchnässt. Wenn er nun dachte, sie hätte sich in die Hose gemacht? Aber als sein Finger auf ihre Nässe stieß, lächelte er sie besitzergreifend an und zog sie mit dem freien Arm enger an sich heran. Seine Hand glitt über ihren nackten Hintern, und dann öffneten zwei starke Finger ihre Pobacken und ihre Muschi, sodass sie ihr Loch spürte. Es fühlte sich ganz leer an, und das schien er zu wissen, denn er tat erst einmal gar nichts, sondern lauschte ein paar anzüglichen Bemerkungen seiner Kameraden. Er sagte allerdings nichts dazu, und so wusste sie, dass der Witz nicht ihr galt. Sie verstand ohnehin nicht, worum es in dem Witz ging. Das alles war neu für sie.

Sie war ja auch zum ersten Mal auf einem Tanzabend in der Kaserne. Bei ihrem Vorschlag hatte ihre Freundin Edna gesagt: »Das sind nette, große Männer. Es sind Guards, schließlich findet der Tanz ja in der Horse Guards Hall statt.« Sie waren zusammen hereingekommen. Zwei groß gewachsene Mädchen. Edna rundlich, frisch und rosig, sie selber schlank und ein wenig blass. Sie sah sehr rein und züchtig aus in ihrem jungfräulichen, weißen Kleid. Edna hat sie nicht mehr gesehen, seitdem sie mit diesem Soldaten auf die Tanzfläche gegangen war. Er war direkt auf sie zugesteuert, und es hatte ihr gefallen, dass sie ihm nur bis zur Schulter reichte. Edna hatte Recht gehabt. Und jetzt gefiel es ihr, dass er ihre Schamlippen auseinander spreizte. Es erzeugte eine gewisse Spannung, so als ob gleich etwas Entscheidendes passieren würde. Und es geschah auch etwas. Sein Mittelfinger glitt in sie hinein. Sie dachte, sie würde ohnmächtig werden. Bestimmt wussten alle, was er tat, denn er unterhielt sich nicht mehr mit den anderen, sondern konzentrierte sich völlig auf sie. Er blickte ihr in die Augen. Der Finger bewegte sich, und sie spürte, wie sie ihn mit Flüssigkeit umhüllte. Ihr Innerstes krampfte sich zusammen, und etwas in ihr pochte. Dann zog er den Finger heraus, und sie fühlte sich plötzlich beraubt. Jedoch nicht lange, denn der Finger glitt durch ihre Spalte zu einer pochenden, kleinen Knospe, die auf seine Liebkosungen wartete. Mit seinem feuchten Finger umkreiste er ihre Klitoris. Keuchend drückte sie sich fester auf seine Hand und seinen Schoß, um ihm näher zu sein. Sein freier rechter Arm war um ihre Taille gelegt, und er zog sie jetzt an sich, um sie zu küssen. Es war ihr erster Kuss.

Plötzlich wurde das Licht im Ballsaal gedämpfter, und die Kapelle spielte einen langsamen Walzer. Von seinen Kameraden waren einige so versunken in die Küsse mit ihren Partnerinnen, dass sie nicht aufstehen konnten, aber ihr Soldat zog langsam seine Hand von ihr weg, stellte sie auf ihre Füße und erhob sich, um sie auf die Tanzfläche zu führen.

Sie kam sich so beschützt vor, als er sich zu ihr herunterbeugte, um seine Wange an ihre zu legen. Sein rechter Arm lag um ihre Taille, und mit der linken Hand, der magischen linken Hand, ergriff er ihre Rechte und zog sie so dicht an ihre Nase, dass sie den Moschusduft an seinem Finger riechen konnte. Es war wie ein starkes Parfüm, mit dem er sie wortlos an seinen Besitzanspruch erinnerte. Während sie tanzten, senkten sich seine Lippen auf ihre, und seine Zunge drang in ihren Mund ein. Der Kuss ähnelte einem sexuellen Akt, so war sie noch nie geküsst worden. Jede Bewegung der Zunge ließ sie erbeben, und sie drängte sich eng an ihn. Dieses Mal war es ganz normal für sie, die Ausbuchtung an seiner Hose zu spüren. Sie rieb sich sogar daran, bis er sie stöhnend von sich wegschob und züchtig mit ihr weitertanzte. Unverwandt blickte er sie an. Er lächelte jetzt nicht mehr. Was hatte sie getan? Vielleicht hatte sie ihn mit ihrem lüsternen Reiben schockiert. Aber sie überlegte bereits, wie sie noch etwas mehr davon bekommen könnte, denn sie hatte den Eindruck gehabt, es an ihrer Klitoris zu spüren, so als ob es irgendwo hinführte, zu mehr und ungeahnter Lust. Anscheinend hatte er in ihr etwas ausgelöst, was zu Ende gebracht werden musste. Erneut drückte sie sich an ihn, und der Arm, mit dem er sie umfasst hielt, glitt von der Taille zu ihrem Hinterteil. Dort packte er sie und drückte sie an sich. Es war ein Gefühl, als ob sie angekommen wäre. Dann war er also nicht böse mit ihr? Er steuerte mit ihr auf die offene Tür zu und aus dem Ballsaal hinaus.

Draußen wurden die Klänge des Songs immer leiser, als er mit ihr um die Halle herumging. Auf einmal drückte er sie gegen die Wand und begann sie zu küssen. Seine Hand glitt zu ihren Knien und an den Innenseiten ihrer Schenkel entlang, er schob den Rock ungeduldig hoch, sodass die Ausbuchtung in seiner Uniform auf ihr züchtiges, weißes Baumwollhöschen und den Strumpfhalter mit den Naturbräune-Strümpfen traf. Sie hatte Riemchensandalen an den Füßen, deren hohe Absätze im feuchten Gras einsanken. Er schob seine Finger an dem durchnässten Zwickel vorbei und fand wieder das Zentrum ihrer Lust. Dieses Mal drückte er mit der flachen Hand dagegen und rieb sie hin und her. So etwas Schönes hatte sie noch nie erlebt. Es gefiel ihr sehr. Aber plötzlich änderte er seine Technik. Er zog ihr das Höschen bis zu den Oberschenkeln herunter, umfasste mit einer Hand fest ihr bloßes Hinterteil und hob sie hoch, sodass ihre Füße auf einmal in der Luft hingen. Mit dem Finger der anderen Hand rieb er sie zart weiter. Er befeuchtete ihn mit der Flüssigkeit aus ihrer tropfenden Vagina und massierte sie sanft in ihre Klitoris ein. Es war unerträglich. Neue Wellen der Erregung überfluteten sie. Sie schob ihre Hüften nach vorne, sodass sich ihre Schenkel ganz von alleine öffneten. Sie bettelte geradezu darum, von ihm ausgefüllt zu werden, damit diese wundervolle, wachsende Spannung sich auflöste.

Aber er wollte sie noch nicht kommen lassen.

Mit einem seiner kräftigen Beine stützte er sie an der Wand ab und machte sich mit beiden Händen oben an ihrem Kleid zu schaffen. Er zog ihr die Träger und das Mieder herunter und enthüllte einen weißen, trägerlosen Spitzenbüstenhalter, der ihm in der Dunkelheit ganz deutlich zeigte, wo ihre Brüste waren. Er streichelte sie durch die Spitze hindurch, wobei seine Daumen über die Nippel glitten. Seine schwieligen Hände waren rau an dem zarten Stoff. Dann zog er auch den Büstenhalter herunter, sodass ihre Brüste frei in der köstlich kühlen Abendluft hingen. Er umfasste die Brüste mit beiden Händen, senkte den Kopf und begann sie zu lecken und an ihren Nippeln zu saugen. Wundersamerweise erzeugte auch das ein Pochen in ihrer Vagina und ihrem anderen Lustzentrum. Es war also alles Sex? Er knetete ihre Brüste mit den Händen und küsste sie wieder, wobei die kreisenden Bewegungen seiner Zunge sie noch mehr erschauern ließen.

Plötzlich wusste sie, was zu tun war. Seine Ausbuchtung drängte gegen seine Uniformhose, und sie drückte und streichelte sie von außen. Dann griff sie kühn nach seinem Reißverschluss. Er küsste sie immer weiter, und auch seine Hände waren noch mit ihren Brüsten befasst, aber sie spürte, dass er sehr wohl merkte, was sie da tat. Sie zog den Reißverschluss herunter und schob ihre Hand hinein. Sie berührte weiche Baumwolle, und dann bekam sie sein Glied zu fassen. Erstaunt über seine Größe nahm sie es in beide Hände und rieb es. Er packte ihre Hinterbacken und setzte sie auf seinen erigierten Penis. Er fühlte sich riesig in ihr an und vor allem warm im Gegensatz zu der kühlen Nachtluft, die über die bloße Haut ihrer Schenkel strich. Dann begann er, in sie hineinzustoßen, und sie war überwältigt von seiner Kraft. Jedes Mal, wenn sie auf ihn heruntersank, rieb sich ihre nackte Haut an seinem rauen Uniformstoff. Er dachte jetzt nur noch an sich. Seine Knie zitterten, und seine Stöße wurden immer schneller. Sie wusste, dass ein Höhepunkt bevorstand, und war einer Ohnmacht nahe. Die Natur nahm ihren Lauf, und sie konnte keinen rationalen Gedanken mehr fassen. Sie hatte sich nicht mehr unter Kontrolle. Immer schneller wurde das Tempo, und immer lauter sein Keuchen. Und dann zog er seinen Penis auf einmal aus ihr heraus und kam, über ihr jungfräulich weißes Höschen, über ihr Rüschenkleid und über ihren Bauch. Sein Atem klang, als ob er schluchzte. Sie dachte schon, es wäre vorbei.

Aber kaum hatte er sich ein wenig erholt, kümmerte er sich sofort um ihre Bedürfnisse. Er tauchte seinen Finger in ihre Säfte und rieb ihre Klitoris. Ihr kam es vor wie die intimste Liebkosung, die sie je erlebt hatte. Er begann sanft, bis die kleine Knospe sich vor Entzücken entfaltet hatte. Dann umkreiste er sie mit dem Finger, und sie begann zu stöhnen. »Oh ja, bitte.« Er beschleunigte das Tempo und erhöhte den Druck. Für den Bruchteil einer Sekunde befürchtete sie schon, er würde den Finger wegnehmen, um ihn mit mehr Feuchtigkeit aus ihrer Vagina zu benetzen, und sie schrie auf. »Nein! Hör nicht auf!«

Gehorsam machte er weiter. Und dann brach ein Feuerwerk hinter ihren geschlossenen Augen aus, und sie explodierte in einer nie gekannten Lust. Ihr ganzer Körper bebte.

Sie suchten Edna, die einen Soldaten namens Ian kennen gelernt hatte, und zu viert gingen sie zur Bushaltestelle. Als sie an der Hecke standen und auf den Bus warteten, küssten und unterhielten sich Edna und Ian. Ihr Soldat küsste sie zärtlich, und sie war immer noch wie in einem Zauber befangen.

Im Bus sagte Edna: »Ian und ich gehen morgen ins Kino. Er ist nett. Deiner auch? Wie heißt er? Siehst du ihn wieder?«

»Ich weiß nicht, wie er heißt. Ich weiß auch nicht, ob ich ihn wiedersehe. Ob er nett ist? Nun, ja, ich glaube schon. Auf jeden Fall ist er ein perfekter Gentleman«, sagte sie.

SASKIA WALKER

Kartenspiel

Quadrille: Ein Kartenspiel für vier Personen mit vierzig Karten

Die erste Person

Er will dich nicht so wie du ihn, dachte ich bei mir, während ich beobachtete, wie die Frau auf Ben reagierte. Sie und ihre Begleiterin waren neue Gesichter; ich hatte sie noch nie auf einer von Theas Partys gesehen. Unwillkürlich fragte ich mich, ob sie nur so taten oder ob sie wirkliches Interesse daran hatten. Das war meine zynische Seite. Ben hatte mich schon so oft gewarnt, dass mein Zynismus mir nicht gut täte.

Ich beobachtete drei geschmeidige Männer, die Küsse austauschten. Selbst die außergewöhnlichsten Akte ermüdeten einen mit der Zeit. Sie waren immer da, und vielleicht beobachtete ich aus Langeweile lieber die Neuen und empfand ein perverses Vergnügen daran, sie schockiert zu sehen.

Theas Fetisch-Partys waren der Renner in der Stadt. Die meisten neuen Gäste waren Touristen. Sie kamen aus Neugierde und um etwas zu lernen, und wenn es ihnen zu viel wurde, zogen sie wieder ab. Die Frauen, die Ben aufgerissen hatte, waren neu, und sie schauten sich ständig um. Vermutlich auch Touristinnen.

Sie waren groß und auffallend. Ihre Kleidung war ähnlich und wies darauf hin, dass sie zusammen waren. Das interessierte mich natürlich. Sie stellten ihre langen Beine in Miniröcken zur Schau, die einige Zentimeter über ihren Strümpfen endeten. Die, die Ben angemacht hatte, trug Leder. Da konnte er natürlich nicht widerstehen, ich allerdings auch nicht: Ich trug selber Leder. Sie wussten nicht, dass Ben und ich zusammen waren. Das wussten nur Stammgäste. Ich riss mich von dem Spitzenrand ihrer Strümpfe los, weil Thea mich am Arm berührte und mich einer zitternden Rose vorstellte, einer Friedhofs-Schönen, die in fließende Spinnweben gekleidet war. Ihr Kleidungsstil passte nicht ganz zu dem massiven Metallring um ihren Hals. Thea war die perfekte Gastgeberin, und sie kannte meinen Geschmack, aber in der letzten Zeit war ich dieser trägen Partner müde geworden und stand eher auf ein bisschen mehr Reaktion.

Thea war behängt wie ein Christbaum, mit einer Federboa, die ihr Medusenhaar zurückhielt. Die Federn waren ihr Markenzeichen, und wer ihren Look kopierte, wurde nicht mehr eingeladen. Ich stellte meine Gastgeberin zufrieden, indem ich mich auf ein kleines, höfliches Geplänkel mit ihr und dem Friedhofsmädchen einließ, wandte meinen Blick dabei jedoch nicht ab von Ben mit den beiden neuen Frauen. Die Lederfrau war exotisch, mit wallenden, dunklen Haaren und schräg stehenden Augen. Ihre Freundin war ein wenig größer als sie, mit kurz geschnittenen, roten Haaren, einem Schmollmund und großen, grünen Augen. Sie war ein Cyberchick in einem PVC-Minikleid, das viel von ihren langen Beinen zeigte. Beide waren ihren Einsatz wert.

Ben streckte seinen schmalen Rücken, fuhr sich durch die Haare und flüsterte der Frau etwas ins Ohr. Der Kettengürtel schmiegte sich an seine Hüften, als er sich bewegte. Er sah aus wie ein Geist. Weder Zeit noch Exzesse hatten seinem elfenhaften Aussehen etwas anhaben können. Die Frau lachte über das, was er zu ihr gesagt hatte; sie hatte ein verschmitztes Lächeln und blickte über seine Schulter hinweg in meine Richtung. Ich wandte sofort den Blick ab, sah jedoch, dass sie dieses Mal Bens Leine hielt. Er hatte sie ihr schon zum dritten Mal in die Hand gegeben. Weitere Ermutigung brauchte er nicht. Er zog seine Gesichtsmaske aus der Tasche und senkte den Kopf. Er würde sie bitten, sie ihm überzustülpen. Ich kannte das Muster, er hatte es oft genug mit mir so gemacht. Eifersucht stieg in mir auf, und ich drehte den Kopf weg. Als ich wieder hinschaute, schnallte sie ihm gerade die Maske um, warf aber immer noch Blicke in meine Richtung. Ihre Freundin ging im Raum umher und betrachtete alles mit gierigen Blicken.

Ben legte sich zu Boden, während die beiden Frauen zu der Musik, die ertönte, zu tanzen begannen. Ich trat an den Rand der Tanzfläche, um ihnen zuzuschauen.

Sie tanzten provokativ, auffordernd. In den gewöhnlichen Clubs zogen sie dadurch bestimmt Männer an. Ich fragte mich, ob die Frau in Leder sich wohl für ihre Partnerin einen Dildo umschnallte. Sie bewegte die Hüften, als wollte sie sie ficken, während sie die Köpfe zusammensteckten und miteinander flüsterten. Sie redeten über mich, weil sie ständig zu mir herüberblickten. Vielleicht waren sie ja gar keine Touristinnen, sondern einfach nur auf Reisen; vielleicht wollten sie beide in die Tiefen der

Erfahrung tauchen. Es war an der Zeit, dass ich ihnen zeigte, wo es langging. Vielleicht waren sie ja die Mühe wert.

Ich trat zu ihr hin, und sie starrte mich abwartend unverhohlen an, als ich ihr die Hand auf den Arm legte. Lächelnd blickte sie auf meine Hand, und dann ging sie plötzlich weg. Sie winkte Thea zu, um ihre Aufmerksamkeit zu erregen, als sie an ihr vorbeikam, und begann ein Gespräch mit ihr.

Bluffte sie? War das ein Spielchen? Blöde Kuh! So verzweifelt war ich auch nicht. Ich versuchte mich abzuwenden, aber die Anziehungskraft war doch sehr groß.

Die zweite Person

Ich fragte Thea, wo die Toilette sei. Als ich mich umdrehte, begegnete ich wieder seinem flammenden Blick. Ja, und? Aber ich wusste, er war mir gewachsen, und das erregte mich.

Seine Intensität war überwältigend. Ich hatte noch nie einen Mann gesehen, der so viel provokative Lust ausstrahlte. Ich konnte seinen Moschusduft beinahe riechen und schmeckte seine Potenz auf der Zunge; mein Appetit war geweckt, und ich gierte nach mehr. Er beobachtete jede unserer Bewegungen, und wir konnten beide den Blick nicht von ihm wenden. Wir waren gerade auf der Party angekommen, als Suzi auch schon eine Bemerkung über sein Aussehen gemacht hatte, und es reizte uns, wie gierig er uns beide beobachtete. Wie so oft waren wir uns auch bei ihm einig: Er war wirklich ein attraktives Tier.

Er sah irgendwie osteuropäisch aus. Er hatte funkelnde, schwarze Augen, und sein glatt rasierter Kopf war wunderbar geformt und schimmerte weiß gegen den hohen, schwarzen Kragen seines Lederjacketts. Selbstbewusst breitbeinig stand er in Lederhose und Stiefeln da. Er wirkte beherrscht und kontrolliert, unter der Oberfläche jedoch brodelte es. Er hielt mich zurück. Als Thea ging, drehte ich mich um und blickte ihn an, amüsiert, dass er es gewagt hatte, mich zu berühren, aber auch erregt.

Er war wütend, das sah ich ihm an. Er wollte, dass ich angemessen darauf reagierte, wie sich seiner Meinung nach die Dinge entwickeln sollten, aber das hatte ich nicht getan. Wenn er mich für einen wimmernden Schwächling hielt, wie die anämisch aussehende Frau, mit der er vorher geredet hatte, dann würde er sich wundern. Ob er wohl mit einer starken Frau, einer Frau, die sich ihm erst dann beugte, wenn es ihr passte, zurechtkam? Ich konnte kaum mein Lächeln unterdrücken, als er mich finster musterte. Ich war mehr als bereit, es mit ihm aufzunehmen. Es war schon eine Weile her, dass ich einen Mann gehabt hatte, und die Atmosphäre auf der Party hatte mein Bedürfnis nach ein wenig Action noch verstärkt.

Ich drehte mich auf dem Absatz um und ging zur Tür. Als ich mich umsah, merkte ich, dass er auf ein Zeichen wartete. Ich lächelte ihn an, und er folgte mir.

Ich drängte mich durch die Leute hindurch, die im Flur standen, und trat auf die Gasse hinaus, die sich hinter Theas viktorianischem Stadthaus befand. Als ich hörte, wie sich hinter mir die Tür schloss, blieb ich stehen, um mich zu vergewissern, dass er hinter mir war.

Er stand an einem Fenster in dem schmalen Lichtstreifen, der durch die geschlossenen Vorhänge drang. Langsam ging ich zurück. Er blieb stehen, sein cooles Äußeres war wie eine Rüstung. Was verbarg sich dahinter? Er sah so aus, als ob er nie lächelte, niemals. Ich blieb vor ihm stehen und drückte meine Haut an das kühle Leder seines Jacketts. Das ferne Summen von Musik und Stimmen erreichte uns kaum. Alles um uns herum verblasste und trat zurück, als er seine Zähne in meine nackte Schulter schlug und zubiss.

Seine Hand fand meine Kehle, und seine Lippen senkten sich auf meine. Sein Kuss war hungrig, fordernd, stark. Unsere Zähne trafen aufeinander, und ich wich bis zur Fensterbank zurück, wobei ich ihn an den Aufschlägen seines Jacketts packte, um ihn mitzuziehen. Mein Rock war mir bereits hochgerutscht, und ich spreizte die Beine.

»Wie heißt du?«, stieß ich hervor, als meine Hand über seinen harten, erigierten Penis glitt. Er schloss die Augen. Ich drückte fester zu, und er öffnete sie wieder.

»Kirk. Und das war Ben«, erwiderte er. Seine Stimme war leise und scharf. Ein Strom der Erregung durchfuhr mich, als mir klar wurde, was er meinte. Möglichkeiten schossen mir durch den Kopf und den Körper, wie lebhafte Alpträume, die das Fieber mit sich brachte. Meine Schenkel waren feucht von der Hitze, die aus mir heraussickerte. Mit den Fingernägeln fuhr ich über seine Erektion.

»Besorg es mir, Kirk. Lass es uns jetzt tun.«

Anerkennend verzog er grinsend die Lippen. Er drückte seine Hände gegen mein Ledermieder, und ich keuchte. Mit dem Knie schob er mir die Beine weiter auseinander, und meine Brüste wurden hochgeschoben und drängten aus ihrer Hülle. Als er meine harten Nippel sah, schürzte er die Lippen. Seine Fingerspitzen glitten leicht wie Eis darüber.

»Fick mich.«

»Das habe ich vor.«

Eine Sekunde später zerrte er mir das Höschen herunter, und seine Hände umfassten mein brennendes Fleisch. Ich war bereit, und als er seinen Reißverschluss öffnete, glaubte ich, nie ein süßeres Geräusch gehört zu haben.

Es war schnell und heftig, ein scharfer Appetithappen.

Sein Penis war ebenso wundervoll ausgeformt und beherrscht wie er. Er ging äußerst präzise damit um, wie ich es mir vorgestellt hatte. Als er tief in mich hineinstieß, kam ich, kurz bevor er selber zum Höhepunkt gelangte. Es war der beste Quickie, den ich jemals gehabt hatte.

Bevor wir wieder hineingingen, diskutierten wir die Optionen für den Hauptgang.

Die dritte Person

Ich war begeistert, als ich Celeste mit ihm hinausgehen sah, weil ich wusste, dass sie ihn später mit mir teilen würde. Der Mann in der Maske hatte sich wieder hingehockt, als sie wegging, und ich beobachtete ihn, wie er da kniete, mit gesenktem Kopf. Ab und zu blickte er auf, und schließlich kroch er neben mich, um weiter zu warten. Ohne Zweifel ein treues Haustier. Celeste würde das niedlich finden. Ich fuhr ihm mit der Hand über die Schulter, und er lehnte zärtlich seinen Kopf an mein Bein.

Die Party und die außergewöhnlichen Gäste faszinierten mich. Wo mochten sie nur ihre Möbel kaufen, fragte ich mich und betrachtete die glänzenden Plastikmöbel.

Dort hinten stand ein aufblasbares, durchsichtiges Sofa in der Form eines Mundes. Eine dekadente Jardinière fiel um und wurde von einem Mann aufgefangen, der dagegen gestoßen war, weil er versucht hatte, durch das Sofa hindurchzublicken anstatt darüber hinweg. Thea trat zu ihm und sagte ein paar strafende Worte zu ihm, bevor sie sich mit der Jardinière im Arm hochmütig entfernte. Ich lachte leise in mich hinein. Das war ein verrückter Ort!

Wenn ich mit Celeste zusammen war, passierten immer die erstaunlichsten Dinge, aber so etwas hatten wir noch nie zuvor gemacht. Sie hatte Thea beim Chatten im Internet kennen gelernt. Sie kannte sich mit solchen Sachen aus, und als sie mir davon erzählte, war ich natürlich bereit, es mit ihr zusammen auszuprobieren. Wenn wir etwas zusammen machten, hatten wir immer doppelten Spaß.

Als sie wiederkamen, sahen beide entschlossen und erregt aus. Sofort vergaß ich die anderen Leute um mich herum und versuchte abzuschätzen, wie ihre Begegnung verlaufen war. Celeste hatte dieses Leuchten in den Augen, das ihren Sieg bestätigte. Wir lächelten einander zu. Der Mann war stehen geblieben und stand mit verschränkten Armen wartend an der Tür, als sie auf mich zukam.

»Wir gehen jetzt, Suzi«, flüsterte sie und küsste mich leicht auf die Wange. Dann bückte sie sich, um die Leine des Haustieres zu ergreifen. Die Peitsche, die an seinem Gürtel steckte, zog sie aus ihrem Schaft und nahm sie in die Hand. Die Kreatur sprang auf die Knie und rieb ihren Kopf an ihren Schenkeln. Ihre Augen funkelten wie flüssiges Feuer. Sie zerrte an der Leine, und er stand auf, um ihr zu folgen.

Wir vier gingen zusammen weg. Mein Herz begann heftig zu schlagen.

Der Mann mit dem rasierten Kopf blickte mich an, als wir näher kamen. Er hielt die Hand vor den Mund. Verbarg er dahinter ein Grinsen? Ich brachte es nicht über mich, ihn anzulächeln, denn ich hatte Angst. Ich wusste, Celeste war in der Lage, mich zu weit zu treiben, bis jetzt jedoch hatte ich alles, was wir zusammen getan hatten, geliebt. Aber vielleicht würde irgendwann der Zeitpunkt kommen, an dem ich den nächsten Schritt nicht mehr mit ihr gehen konnte. Als ich jedoch den arroganten Mann, der an der Tür stand und mich mit dem Blick eines Jägers anschaute, betrachtete, konnte ich nur hoffen, dass es nicht heute Abend der Fall wäre. Ich begehrte ihn auch.

Im Taxi redete Celeste. Der rasierte Mann saß stumm und rätselhaft vorne. Sie nannte ihn Kirk. Der Name passte zu ihm. Wir saßen hinten. Sie zog das Haustier in die Mitte, und es winselte und senkte den Kopf, wobei es durch den gezackten Reißverschluss seiner Maske verstohlene Blicke auf uns warf.

»Du hast doch Suzi nicht berührt, als ich weg war, oder?«, wollte sie wissen. Ich stellte fest, dass ich mich nicht einmal mehr erinnern konnte, wie er ausgesehen hatte, bevor sie ihm die Maske übergezogen hatte, aber eigentlich war es mir auch egal. Er hatte so eine liebe Art, und als er zitterte, streichelte ich ihm genau wie sie beruhigend über den Arm.

Er ließ den Kopf noch tiefer sinken, als sie ihn direkt ansprach. Sie zog ihn an der Leine dichter zu sich heran und sprach in scharfem Tonfall in sein lederüberzogenes Ohr.

»Du weißt, dass du sie nicht berühren darfst. Wenn du in ihrer Gegenwart auch nur atmest, dann peitsche ich dich aus, mein Schöner.« Sie ergriff die Peitsche, die auf ihrem Schoß lag, und tippte sich damit leicht gegen die Hüfte, als wolle sie ihn warnen.

Ich konnte seine Reaktion spüren. Er war bis ins Äußerste angespannt, und ich sah die Ausbuchtung in seinem Schritt. Wo sein Schwanz sich aufrichtete, begann der Stoff zu reißen.

»Ich glaube, du hast es an der nötigen Achtung fehlen lassen. Das wirst du bedauern, Ben, wenn wir nach Hause kommen.« Kirk drehte sich zu ihr um. Sein Gesicht war finster, erwartungsvoll und zeigte schon wieder die Andeutung eines Lächelns, obwohl sich sein Gesichtsausdruck nicht verändert hatte. Hoffentlich ließ sie ihn mich auch ficken, er war bestimmt gut. Der Taxifahrer trat aufs Gaspedal. Er wollte uns loswerden. Als wir die Stadtgrenze hinter uns ließen und zu Celestes privatem Heiligtum fuhren, fuhr er wesentlich schneller als erlaubt.

Ihre Schlüssel klapperten, als sie die Tür zu ihrer Wohnung aufschloss. Als wir eintraten, betätigte Celeste den Schalter, der zahlreiche Scheinwerfer einschaltete. Ein Augenblick verging. Die Spannung zwischen uns wuchs.

»Nett hier«, sagte Kirk sarkastisch und blickte sich in dem riesigen Raum um mit den nackten Dielenböden, dem langen, niedrigen, schwarzen Ledersofa, einigen Schränken und der fotografischen Ausrüstung.

»Es freut mich, dass es dir gefällt«, erwiderte Celeste. Sie ergriff einen Dreifuß, auf dem eine Kamera montiert war, weil er ihr den Weg zu ihm versperrte, und lehnte ihn an die Wand. Dann drückte sie auf einen anderen Schalter, und leise Wagner-Musik ertönte. Sie trat an eine niedrige Kommode, zog die oberste Schublade auf und holte ein paar glänzende Handschellen heraus. Die Absätze ihrer Stiefel hallten noch lauter auf den Dielen als sonst. Ich begann vor Nervosität und Erregung zu zittern. Sie spürte es und trat zu mir.

»Suzi. Liebling Suzz.« Sie murmelte meinen Kosenamen und streichelte mir über den Arm. Mit einer trägen Geste ließ sie die Handschellen über meine Schulter gleiten. Ich bekam keine Luft, ich konnte einfach nicht atmen. Was hatte sie vor? Mit brennendem Blick sah sie mich an, und ich hätte sie am liebsten angefleht, endlich etwas zu tun, um die Spannung zu durchbrechen.

»Atme, Liebling«, flüsterte sie und wandte sich kichernd von mir ab, um zu Kirk zu treten. Trotzig stand er vor ihr, höhnisch grinsend. Sie fuhr mit der Fingerspitze die Umrisse seines Mundes entlang, und er knabberte daran. Als sie ihn küsste, streckte er unwillkürlich die Hände nach ihr aus, und dann brüllte er auf, als sich die Handschellen um seine Gelenke schlossen. Ihr Lachen hallte durch die Wohnung.

»Verdammte Schlampe!«, stieß er hervor. Das hatte er nicht erwartet. Offensichtlich hatte er geglaubt, sie würde es nicht wagen.

Lachend wandte sie sich zu mir um und zwinkerte mir zu. Ich atmete auf. Celeste ließ sich nie in die Karten schauen.

Kirk lief wütend auf und ab. Auf mich wirkte er plötzlich wie ein Eunuch. Er war so außer sich vor Wut, dass er uns bestimmt nicht alle um den Verstand ficken konnte.

Ben sank zu Boden, als Celeste auf ihn zutrat. Sie

beugte sich über die kniende Gestalt und redete leise auf ihn ein.

»Guter Hund, guter Junge. Und jetzt möchte ich etwas wissen.« Ihre Stimme wurde streng. »Hast du Suzi berührt, als ich mit Kirk draußen war? Sag mir die Wahrheit.«

Kirk beobachtete sie aufmerksam, seine Augen glitzerten wie polierter Jett.

Ben winselte, und nach einer endlosen Pause nickte er ganz leicht mit dem Kopf. Das reichte, um die Sache ins Rollen zu bringen. Triumphierend warf Celeste die Haare zurück und blickte mich an. In mir stieg Erregung auf.

»Er hat dich angefasst, oder?« Ihre Augen blitzten, und ihre Stimme klang leidenschaftlich. Sie benahm sich wie eine Verrückte, und ich liebte es. Ich liebte es, wenn sie so war und mich in Situationen brachte, die ich noch nie erlebt hatte. Sie bückte sich und drückte Bens Kopf herunter. Ich übernahm die Rolle, die sie mir zugewiesen hatte, und nickte heftig.

»Ja, er hat mich angefasst.« Meine Stimme klang kläglich. Celeste sollte endlich anfangen.

Wieder lächelte sie mir zu. Sie stand auf und zerrte Ben an der Leine hinter sich her. Kurz vor Kirk blieb sie stehen und band die Leine um das schwarze Heizrohr an der Wand. Vielleicht hatte sie das schon immer im Sinn gehabt, als sie ihr Loft entworfen hatte. Diese schwarzen Rohre in ihrer Wohnung waren wirklich nützlich.

Breitbeinig und mit verschränkten Armen baute sie sich vor Ben auf.

»Du widerst mich an. Deine Strafe wird sein, von allem ausgeschlossen zu sein. Ich werde noch nicht einmal deine Augenschlitze schließen, um dir den Anblick zu ersparen.«

Ben wimmerte leise.

»Oh ja! Du wirst zusehen müssen! Das ist deine Strafe!«

Kirk grinste über das ganze Gesicht. Die Vorstellung gefiel ihm offensichtlich.

Sie wandte dem Mann, der sich hinter ihr mitleiderregend am Boden wälzte, den Rücken zu und blickte Kirk und mich an. Mir stockte wieder der Atem, und ich fragte mich, was jetzt wohl passieren würde. Sie trat zu mir, streichelte mir übers Gesicht und küsste mich zärtlich auf den Mund. Ich liebte ihre Küsse; sie waren so sinnlich und feucht, weich und sanft im Vergleich zu ihrer sonstigen Stärke. Ihre Hände glitten zu meiner Taille. Ich öffnete die Augen, als sie mit den Lippen um den harten Nippel fuhr, der unter dem PVC-Kleid sichtbar war. Kirk lehnte an der Wand, beugte sich jedoch vor, und man sah ihm sein Verlangen an. Seine Augen waren tiefschwarz.

Ich gehorchte ihren Gesten und setzte mich auf den Stuhl, den sie für mich unter einen der Scheinwerfer stellte. Sie stellte sich hinter mich, und ihre Hände streichelten unablässig meinen Körper. Verlangen überwältigte mich, und ich konnte das Fieber, das von mir Besitz ergriffen hatte, nicht mehr kontrollieren. Ich stöhnte laut.

»Auf die Knie«, sagte sie.

Da ist er doch schon, dachte ich, aber dann wurde mir klar, wen sie meinte.

Ich blickte ihn an. Langsam sank Kirk auf die Knie.

»Versprich mir mehr«, forderte er und reckte ihr die gefesselten Arme entgegen. Sein schön geformter Mund zuckte. Ich spürte Celestes Körper an meinem Rücken und schmiegte mich an ihre Hitze. Offensichtlich hatte Kirk die Antwort bekommen, die er erwartete, denn er bewegte sich vorwärts. Meine Schenkel öffneten sich wie von selber.

Celeste beugte sich über meine Schulter, zog mit einer Hand meinen Rock hoch und schob mit der anderen den feuchten Zwickel beiseite, der an meinem Geschlecht klebte. Sie streichelte meine Schamlippen. Grinsend senkte Kirk den Kopf, und das Letzte, was ich von ihm sah, waren seine jettschwarzen Augen.

Die vierte Person

Ich rang nach Luft. Vorsichtig blickte ich auf. Wenn sie merkten, dass ich mich bewegte, würde die Herrin mich sicher schlagen. Bitte, oh bitte, Herrin. Die Hitze und der Duft des Leders, das mein Gesicht umschloss, waren überwältigend. Ich atmete und schwitzte jetzt seit über zwei Stunden in der Maske. Meine Haare hingen mir in feuchten Strähnen über die Augen, und ich konnte kaum etwas sehen. Aber ich wollte alles mitbekommen.

Kirks Lederanzug glänzte schwarz im Scheinwerferlicht. Er kniete zwischen den Schenkeln der großen Frau und leckte hungrig an ihrer Klit. Sie presste sich ihm entgegen, ihr ganzer Körper zuckte, und die Herrin hielt ihr die Arme fest und stützte sie. Sie warf den Kopf hin und her, während sie ihre Möse immer wieder gegen Kirks Mund stieß. Ich blickte die Herrin an; sie sah so grausam aus – aber auch so fürsorglich.

Kirk war bestimmt hart wie Stahl, das wusste ich. Er wollte sie mit seinem Schwanz ficken, das wollte er immer. Sein Schwanz war ein wildes Tier, das wusste ich aus eigener Erfahrung, getrieben von unterdrückter Wut. Ich erschauerte. Meine Kette rasselte verräterisch laut.

»Ben!« Ihre Warnung ließ mich erstarren. Suzis Stöhnen wurde lauter. Sie schrie auf und sank dann plötzlich zitternd in sich zusammen. Die Herrin hielt sie nicht mehr fest, sondern war zu Kirk getreten. Er hielt seine Hände hoch. Sie nahm ihm die Handschellen ab, und dann wandte sie sich mir zu.

Ich begann am ganzen Leib zu zittern, ich konnte nicht anders. Langsam kamen ihre Stiefel über den Dielenboden auf mich zu. Dazwischen sah ich, dass Kirk seinen erigierten Schwanz befreite, und seine Finger tief in Suzis tropfnasse Möse schob.

Die Herrin ließ mich nur noch kurz zuschauen, dann zog sie die Augenschlitze zu. Ich hörte, wie sie die Peitsche ergriff. Nur einmal schlug sie zu, dann herrschte Schweigen. Ich keuchte. Bitte, bat ich stumm. Ich spürte, wie sie mit der Stiefelspitze an meiner Hüfte entlangfuhr, und die neunschwänzige Katze quälend sanft über meinen Kopf und meinen Nacken glitt.

Im Zimmer roch es nach Sex. Wie flüssige Lava drang der Geruch durch meine doppelte Haut. Ich hörte Suzi stöhnen, als Kirk in sie eindrang, und ich wusste, wie es sich anfühlte. Das brauchte ich nicht zu sehen. Ich spürte ihn immer noch vom letzten Mal in mir. Wenn überhaupt, konnte er sich nur dann gehen lassen.

Die Herrin riss mein Lederjackett auf und entblößte meinen Rücken. Die Luft strich kühl über meine feuchte Haut.

Sie begann.

Der Kuss der Peitsche jagte bittersüße Erleichterung

durch meinen Körper, und ich gab mich dem lustvollen Gefühl hin. Aber ihr Rhythmus hielt mich bei ihr, und dann vermischte sich mein Stöhnen mit Suzis, und mein Schwanz spritzte wiederholt in seinem engen Gefängnis ab.

Spiel beendet: Mischen Sie die Karten neu.

Kriegsgott

Die Canadian Warriors gegen Kroatien. Ein erbitterter Kampf um den Puck, bei dem Fäuste flogen, sowohl auf dem Eis als auch beim Publikum. Kein Ort für eine Dame. Aber Holly war ja auch nur hier, weil die Spieler eine solche Augenweide waren. Vom Spiel oder von den Regeln hatte sie keine Ahnung.

Sie hatte die Story nur deshalb in Vertretung für Jim übernommen, weil sie ihr die Chance bot, eines der Eishockey-Idole persönlich kennen zu lernen. Sie hatte ihre Fotos in den Sportzeitschriften gesehen und wollte sich gerne mit eigenen Augen davon überzeugen, ob sie auch in natura so viel versprechend aussähen. Vor allem das neue Talent im kroatischen Team, Slobodan Obrenovic. Trotz des grauenhaften Namens galt er als blendend aussehender Mann, und sie hoffte, ein Interview mit ihm zu bekommen. Aber ob er wohl seine Zeit an eine Austauschstudentin verschwendete, die bei der Lokalzeitung jobbte?

Die Spieler in beiden Mannschaften waren wahre Riesen. In ihren Trikots wirkten sie stark wie Herkules. Ihre muskelbepackten Körper vermittelten reine athletische Kraft, und als sie aufs Spielfeld liefen, kamen sie ihr vor wie eine Bullenherde, die durch die Straßen von Sevilla donnerte, aggressiv und gefährlich, berstend vor Testosteron.

Es war schade, dass sie die Visiere heruntergeklappt hatten und man ihre Gesichter nicht sehen konnte. Sie sahen bestimmt heroisch aus. Nach dem Spiel, wenn sie ihre Helme abnahmen und mit verschwitzten, schmutzigen Gesichtern dastanden, konnte sie sie vielleicht genauer inspizieren. Im Vergleich zu ihnen verblassten andere Männer, und Holly hatte gelernt, dass England sich noch nicht einmal für das Spiel qualifiziert hatte. Eishockey war eben nicht Kricket: Hierzu brauchte man echte Männer.

Abschätzig musterte Holly ihre Reporterkollegen in der Presseloge. Es waren die üblichen Sportreporter in Anoraks und Parkas. Sie sahen so aus, als verstünden sie etwas vom Spiel, und deshalb waren sie ja auch hier. Ihnen ging es nicht um die Ästhetik des menschlichen Körpers, sie schrieben auf, wenn einer gepunktet hatte oder wenn es ein Foul gab, was häufig passierte. Sie hatten das alles schon tausend Mal gemacht, die übliche Monotonie des Lokaljournalismus. Gegen die Kälte hatten sie sich mit Thermoskannen voller Kaffee und fingerlosen Handschuhen, in denen sie schreiben konnten, ausgerüstet.

Holly fror. Das Spiel war schnell und heftig, trug jedoch nur wenig dazu bei, ihre eiskalten Füße zu wärmen. Und wirklichen Enthusiasmus konnte sie nur für die knackigen Hinterteile in den engen, beigefarbenen Trikothosen aufbringen, unter denen sich alles abzeichnete. Der Stoff klebte förmlich an den Hinterbacken, die nur halb so breit waren wie die viereckigen Schultern, und die Rundungen waren so fest, dass sie durchaus aus Carrara-Marmor oder einem tropischen Hartholz hätten gemeißelt sein können. Warum nur zogen sich manche so riesige Shorts darüber und verdarben dadurch den ganzen Anblick, dachte Holly seufzend.

Statt das Spiel zu verfolgen, ertappte sie sich dabei, wie sie die Spieler betrachtete. Obrenovic war gut – das sah selbst sie –, aber er war nicht so groß wie die meisten anderen, und außerdem konnte sie sowieso nicht erkennen, wie er aussah. Douglas hatte die besten Waden. In seiner Hose sah er aus wie Nurejew, und er bewegte sich auch beinahe genauso anmutig. Aber Virgil McIntyre, der einzige schwarze Spieler im kanadischen Team, hatte den süßesten Arsch von allen.

Das machte ihn zu Hollys Liebling des Tages, und sie richtete ihre Augen die meiste Zeit auf die Nummer sieben der Kanadier. Ob sie wohl eine Glückszahl erwischt hatte? Sie beobachtete, mit welch brutaler Gewalt er seine Gegner aus dem Weg drängte und aufs Tor losstürmte. Er war ein Mann mit Präsenz und Persönlichkeit, das spürte man selbst durch den dicken Körperschutz hindurch.

Sie war so damit beschäftigt, die einzelnen Spieler zu mustern, dass sie erst gar nicht merkte, dass das letzte Tor den Warriors den Sieg gebracht hatte. Aber sie hatte ja ohnehin nicht mehr auf den Punktestand geachtet. Jetzt tobte das Stadion, und es erhob sich ein so ohrenbetäubendes Gebrüll, dass sie dachte, ihr platzte das Trommelfell.

»Es war so dicht dran! Es war so dicht dran!«, stöhnte der Journalist neben Holly außer sich vor Wut.

Auf wessen Seite stand er wohl, dachte sie.

Einige der Spieler hatten schon ihre Visiere hochgeschoben, aber Obrenovic noch nicht. Es war frustrierend, dass sie ihn immer noch nicht sehen konnte. Ihre Frustration wich jedoch ihrem Mitgefühl, weil die kroatische Mannschaft so sichtlich enttäuscht war. Am liebsten wäre sie zu ihnen geeilt und hätte jeden Einzelnen getröstet und sie alle in den Arm genommen. Selbst wenn auf den Gesichtern dieser großen, furchtlosen Männer keine Träne zu sehen war, so wusste sie doch, dass sie tief im Innern bitterlich weinten. Und sie hatte es noch nie ertragen können, einen Mann weinen zu sehen, zumindest keinen richtigen Mann, denn für schniefende Weichlinge hatte sie nichts übrig. Als die Kroaten sich in die Kabine zurückzogen, weinte ihre Seele für sie, obwohl sie doch die Gegner ihrer auserwählten Mannschaft waren.

Als die Kanadier das Spielfeld für sich hatten, stellten sie ihre Freude übertrieben zur Schau. Sie schlugen sich gegenseitig auf den Rücken und rasten wie die Verrückten über das Eis. Sie fragte sich, ob das wohl alles noch zum Spektakel gehörte oder ob sie tatsächlich so aus dem Häuschen waren. Jetzt, wo sie gewonnen hatten, wirkten sie wie aufgeladen mit neuer Energie.

Manche hatten bereits ihre Helme abgenommen und liefen hinein, um sich den Fotografen für das übliche Siegerfoto zu präsentieren. Vermutlich würde es von jeder Zeitung abgedruckt, überlegte sie, sodass sie das ansonsten wenig bemerkenswerte Spiel nicht weiter beschreiben müsste. Ihr war zumindest nichts Erwähnenswertes aufgefallen, und vielleicht machte sie am besten nur eine Auflistung der Tore.

Über das Eis glitt Virgil McIntyre auf sie zu, den Helm in der Hand. Seine Haare waren viereckig rasiert, so ähnlich wie bei Grace Jones. Die breiten Schulterpolster ließen seinen Körper nach unten hin spitz zulaufen. Wenn man ihn mit Gold überzöge, dachte sie, sähe er aus wie ein Oscar.

Majestätisch und lässig glitt er hinein. Er wirkte wie jemand, der sich für das irdische Leben zu großartig fand. Wie ein mythologischer Gott stieg er aus seinem luftigen Reich herab, um große Taten zu vollbringen, von denen man noch in Jahrhunderten berichten würde.

Journalisten und Fotografen umringten ihn. Kameras klickten und surrten, und Holly war einen Moment lang von den Blitzlichtern geblendet. Dann lichtete sich die Menge wieder etwas, weil die Spieler sich in die Kabine zurückzogen.

Douglas, der kanadische Captain, wurde bestürmt, ein Interview zu geben, und sofort drängten sich wieder Reporter um ihn. Schade, sie hatte keine Chance, an ihn heranzukommen. Er hatte ein hübsches Gesicht, passend zu seinen großartigen Waden, wie sie feststellte. Trotz seiner Größe hatte er etwas Jungenhaftes, Naives sogar, und in seinen lachenden Augen stand ein freches Funkeln. Er wäre ein guter Ersatz für Obrenovic.

Die kroatischen Fans umringten McIntyre. Sie beobachtete von ihrem Platz aus, wie er höflich und knapp ein paar Fragen beantwortete. Seine Miene war undurchdringlich, und seine dunklen Gesichtszüge hatten etwas Faszinierendes und Statisches. Sie hätte gerne gewusst, ob man ihm seine Gedanken an den Augen ablesen könnte oder ob sich irgendwelche Emotionen auf seinem Gesicht abzeichneten, wenn man ihn von nahem sähe. Vielleicht sollte sie es einfach mal versuchen? Sie stand auf und stellte sich dicht an die Umrandung, wo er vorbeikommen musste, wenn er in die Kabine ging.

Und tatsächlich ging er so nahe an ihr vorbei, dass sie sah, wie sich seine Nüstern beim Atmen blähten. Für den Bruchteil einer Sekunde blickte er sie an, und dieser winzige Moment reichte aus, um ihr einen Schauer über den Rücken zu jagen. Er hatte dunkelbraune Augen, aber die Pupillen fixierten sie wie Stahlbolzen.

Aus dieser Nähe hatte er ein so individuelles Gesicht wie jeder Mensch. An seiner Oberlippe verlief eine haarfeine Narbe, und eine dickere ging quer über seine Augenbraue. Für einen Mann hatte er kleine Ohren. Irgendwie passten sie nicht zu ihm, und deshalb blickte sie ihn etwas länger und intensiver an, als höflich gewesen wäre. Als sie schließlich einen Schritt zur Seite trat, um ihn vorbeizulassen, öffnete er leicht den Mund, als wollte er etwas sagen. Seine Lippen waren weich und einladend, wie braune Satinkissen. Holly blickte ihm wie gebannt hinterher.

Nach dieser kurzen Begegnung wusste sie, was sie wollte. Vergiss Obrenovic oder Douglas – sie würde Virgil McIntyre interviewen.

Sie folgte den übrigen Reportern – die wahrscheinlich noch auf der Suche nach wichtigen Details für ihre Storys waren – zu den Umkleidekabinen. Als die Letzten von ihnen endlich weg waren, schlich sie den Flur entlang zum Eingang der Kabinen. Dort wartete sie versteckt im Schatten, bis die Spieler geduscht hatten. Einer nach dem anderen kamen sie heraus, die Sporttaschen lässig über die Schulter geschlungen, und gingen zum Bus, der sie ins Hotel bringen sollte.

Würde ihr Plan aufgehen? Sie zählte sie ab und stellte fest, dass nur noch einer in der Umkleide war. Das Herz schlug ihr bis zum Hals. Das konnte niemand anderer als Virgil McIntyre sein. Rasch schlüpfte sie hinein, und da stand er und knöpfte gerade seine dunkle Jeans zu. Sein Brustkorb glänzte noch feucht vom Duschen. Um seinen Hals hing ein nasses Handtuch.

Als er sie erblickte, runzelte er ungehalten die Stirn und durchbohrte sie mit seinen schwarzen Pupillen. Sie spürte, wie ihr alle Farbe aus dem Gesicht wich. Ihre Kehle war wie zugeschnürt.

Aber auch er war unsicher, was sie von ihm wollte. Holly holte ihren Notizblock heraus. So selbstbewusst und professionell wie möglich fragte sie, ob er etwas dagegen habe, wenn sie ihm ein paar Fragen zum Spiel und dem Sieg über die kroatische Mannschaft stelle.

Virgil zuckte lässig mit den Schultern und wischte sich mit dem Handtuch die Wasserperlen von der Brust. »Schießen Sie los, Ma'am!«

Holly fluchte im Stillen, dass sie so gar keine Erfahrung mit Interviews hatte. Von Angesicht zu Angesicht fand sie es schwieriger, als sie gedacht hatte. Was sollte sie jetzt fragen? Ob Virgil McIntyre erwartet hatte, dass die Warriors gewannen? Das war eine blödsinnige Frage, aber etwas Besseres fiel ihr auf die Schnelle nicht ein.

»Ja, klar, ich wusste, dass die Warriors gewinnen würden«, erwiderte er.

Sein Akzent klang nicht direkt amerikanisch, aber auch nicht englisch, und seine tiefe, weiche Stimme klang beinahe zu samtig für so eine Kraftmaschine. Ihre Konzentration wanderte von Virgils Worten zu seinen Lippen.

Plötzlich sehnte sie sich danach, ihn zu küssen. Ihr Blick glitt zu seiner Brust, und auf einmal merkte sie, dass er gar nichts mehr sagte, sondern sie mit drohend gerunzelter Stirn anblickte. Einen schrecklichen Moment lang glaubte sie, er würde sie hinauswerfen. Offenbar hatte er gemerkt, dass sie gar keine richtige Journalistin war. Warum hatte sie sich auch keine überzeugendere Frage ausgedacht? Und warum hatte sie sich nicht auf seine Antwort konzentriert?

Sie sackte in sich zusammen, als er sie mit seinem stählernen Blick musterte. Und dann glitt zu ihrer Überraschung auf einmal ein Lächeln über sein Gesicht. Seine Miene wurde freundlich, und er brach in lautes Lachen aus.

Erleichtert seufzte Holly auf. Seine Augen funkelten mutwillig, und er hatte die Augenbrauen spöttisch hochgezogen. Sie hatte befürchtet, dass er kühl und gemein sein könnte und dass es ein Fehler gewesen wäre, ihm zu nahe zu kommen, aber anscheinend fand er eine Frau, die sich in die Männerumkleide traute, eher amüsant.

In diesem Moment trat Virgil einen Schritt auf sie zu, legte ihr seine große, viereckige Handfläche an den Nacken und beugte sich zu ihr herunter, um sie zu küssen.

Ihr erster Impuls war, sich zu wehren und ihm zu erklären, er hätte das falsch verstanden, deswegen wäre sie nicht hierher gekommen. Aber als sich seine Lippen auf ihre senkten, wusste sie, dass jeder Widerstand zwecklos war.

Sie ließ die Arme sinken, und Notizblock und Kugelschreiber fielen ihr aus den Händen. Ihr Puls raste. Jetzt konnte sie nicht mehr zurück. Ein kleiner Teil ihres Verstandes sagte ihr zwar noch, sie solle aufhören, ihren Block und ihren Stift aufheben und das Weite suchen, aber andere Körperteile schrien danach, Virgil zu Füßen zu sinken und ihm die schwarze Jeans herunterzureißen, um ihn in all seiner Pracht vor sich zu sehen.

Virgil hatte ihr bereits den Mantel ausgezogen, und sie machte sich an den Knöpfen ihrer Fleecejacke zu schaffen. Ihre Finger zitterten, und es ging ihr nicht schnell genug, schließlich jedoch hatte sie es geschafft, und die Jacke sank zu Boden. Sie hob die Arme, damit er ihr den Pullover ausziehen konnte. Darunter trug sie eine Bluse mit winzigen Perlmuttknöpfen, viel zu klein für seine großen Hände. Mittlerweile keuchte und schwitzte Holly vor Ungeduld und Hast, und die verfluchten Knöpfe wollten einfach nicht aufgehen. Auch Virgil schien es nicht schnell genug zu gehen, denn er legte schon einmal seine Hände auf ihre Brüste und begann sie durch den Spitzenstoff des Büstenhalters hindurch zu kneten. Ungeduldig riss Holly am letzten Knopf der Bluse und zog sie aus, damit er endlich ihren Büstenhalter öffnen konnte. Die Häkchen bewältigte er mühelos, und während der BH zu Boden glitt, glitten seine Lippen bereits von ihrer Schulter zu einer Brust, wo er wie ein Ertrinkender an ihrem Nippel saugte.

Als es wehzutun begann, schob sie ihn weg. Bewundernd blickte er sie an, und dann begann er, seine Jeans, die er gerade erst zugeknöpft hatte, wieder aufzuknöpfen. Langsam, Knopf für Knopf, öffnete er sie und blickte Holly dabei unverwandt an.

Sie liebte geknöpfte Hosen. Sie waren irgendwie viel versprechender als Reißverschlüsse. Mit jedem Knopf, der aufsprang, wuchs ihre Erregung, und winzige Wellen der Lust breiteten sich in ihrem Bauch aus.

Sie öffnete den Reißverschluss ihrer eigenen Jeans, und als sie herausstieg, verlor sie beinahe das Gleichgewicht, weil sie ihren Blick nicht von Virgil wenden konnte.

Wieder lächelte er sein träges Lächeln. Es war wohl nur zu offensichtlich, dachte Holly, wie bereit sie für ihn war. Möglicherweise hatte er es sogar von Anfang an gewusst. Sah man ihr das Verlangen so deutlich an?

Als sie sich aus ihrer Hose geschält hatte, kniete sie sich vor Virgil und begann seine Jeans herunterzuziehen. Darunter trug er eine strahlend weiße Unterhose.

Ihre Finger zitterten, als sie die Unterhose herunterzog. Jetzt kam der Moment der Wahrheit – würde die Vorhaut schwarz oder rosig sein, wie andere Körperstellen auch, die vor der Sonne geschützt waren?

Unwillkürlich musste sie über sich selber lächeln. Und dann enthüllte sie das Objekt ihrer Träume. Es war dick und fest, wie ein doppelter Marsriegel mit fünfundzwanzig Prozent extra. Natürlich war sein Penis schwarz. Wie war sie bloß auf die blöde Idee mit der rosa Spitze gekommen?

Aber er war beschnitten. Das hatte sie noch nie zuvor gesehen, und es faszinierte sie. Ob es wohl wehgetan hatte? Waren alle Schwarzen oder alle Amerikaner beschnitten? Ihr schwirrte der Kopf. Hungrig schloss sie die Lippen um den Stab aus Schokolade.

Eine Zeit lang saugte sie an ihm und ließ ihre Zunge um seine Eichel gleiten. Er schmeckte gut, nach teurem, exotischem Duschgel, und die weichen, braunen Löckchen seines Schamhaares dufteten nach Orangen. Alles an ihm war lecker.

Nach einer Weile begann sie sich seinen Hinterbacken zu widmen, die wie in Bronze gegossen wirkten. Wo das Licht auf die Haut fiel, schimmerten sie golden. Virgil erschauerte, als sie mit der Zunge bis zu seiner Ritze glitt.

Auch auf seinen Bauch hauchte sie lauter kleine Küsse. Seine Muskulatur war so ausgeprägt, dass sie mit den Fingern darauf spielen konnte wie auf einem Xylophon. Er lachte, und sein Penis zuckte.

Schließlich ergriff Virgil seine Sporttasche, die auf der Bank lag, und warf sie in eine Ecke. Dann legte er sich auf den Rücken und bot sich ihr wie bei einem Festmahl dar. Sein Penis war hart und gerade, wie bei einem Hengst, und er präsentierte ihn ihr voller Stolz. Langsam schlüpfte Holly aus ihrem Höschen.

Sie senkte sich auf ihn herunter, und er stieß in sie hinein, als wollte er die gegnerischen Linien durchbrechen. Sie wusste, es würde ein hartes Spiel werden, und er ging nicht gerade sanft mit ihr um, aber einen weichen Gegner hatte sie auch nicht gewollt.

Nach den ersten Stößen nahm er die Hände von ihren Hüften und begann, mit dem Daumen sanft über ihre Klitoris zu streicheln. Kenntnisreich und geschickt massierte er die kleine Knospe, was bei Holly eine süße Qual hervorrief, von der sie nicht genug bekommen konnte.

Sie hielt sich an dem Garderobenhaken über ihr fest und drehte und wand sich, als ritte sie ein bockendes Pferd. Sein Schwanz füllte sie ganz aus, und er stieß hart und tief in sie hinein. Am liebsten hätte sie laut geschrien, so heftig war das Verlangen nach Erlösung. Und schließlich kam sie.

Pulsierende Wellen durchliefen ihren Körper und bereiteten ihr eine Lust, die sie noch nie erlebt hatte. Immer wieder überfluteten sie sie, bis sie schließlich auf seiner Brust zusammensank. Es dauerte lange, bis sie wieder zu Atem gekommen war.

Anschließend lag sie in seinen starken Armen. Seine Haut fühlte sich an wie Samt, und sie wurde nicht müde, sie zu streicheln. Aber sie wusste natürlich, dass alles einmal vorbei war, und sie seufzte auf, als die Realität sie schließlich wieder einholte.

»Was für eine Story soll ich jetzt bloß schreiben?«, sagte sie leise.

Virgil blickte an die Decke, von der in der feuchten Luft die Farbe abblätterte. »Mach dir deswegen keine Sorgen«, erwiderte er. »Möchtest du sie gerne aus einem persönlicheren Blickwinkel haben?«

Das war eine hervorragende Idee. Abrupt setzte sie sich auf und blickte ihn an. »Willst du sie nicht für mich schreiben?«

»Nein, Ma'am.« Er lachte. »Das ist dein Job. Aber ich gebe dir gerne ein paar Anhaltspunkte.«

Erleichtert schmiegte Holly sich wieder an seine breite Brust. »Danke«, flüsterte sie.

Ruhig lagen sie beieinander, als sie auf einmal Schritte im Gang hörten.

Holly sprang auf und ergriff ihre Kleider. Verzweifelt blickte sie sich nach einem Platz um, an dem sie sich verstecken konnte. Konnte er sie nicht irgendwie unsichtbar machen? Hastig wollte sie in die Dusche laufen, aber Virgil nahm sie in die Arme. Als hätten sie alle Zeit der Welt, strich er ihr die Haare aus dem Gesicht und gab ihr einen letzten Kuss, der für einen Mann mit der Statur eines

Kriegsgottes erstaunlich sanft war. Dann bückte er sich, holte Notizblock und Stift unter der Bank hervor, setzte sich nackt, wie er war, hin und begann ungerührt zu schreiben, als könnte ihm niemand etwas anhaben.

Ein ganz besonderer Striptease

Ich setzte gerade meine Striptease-Perücke auf, die kup-
ferfarbenen Locken, die im Licht des Clubs fast metal-
lisch glänzten, als ich im Spiegel sah, dass der Manager
an meinen Schminktisch trat.

»Leg sie besser wieder in die Schachtel. Du bist privat
angefordert worden. Zimmer drei. Und der Kunde möchte ein paar Extras...«

»Extras? Ich dachte, darauf ließest du dich nach der
letzten Razzia nicht mehr ein?«

Ich zerrte mir die Perücke wieder vom Kopf und fuhr
mir mit den Fingern der anderen Hand durch meine kurzen, schwarzen Haare. Im Licht meines Kosmetikspiegels
schimmerten sie wie Tinte um mein bereits geschminktes
Gesicht.

Als mein Chef nicht antwortete, musterte ich meine
übrigen Perücken, die auf Styropor-Köpfen auf meinem
Schminktisch saßen, und fuhr fort: »Wie ›extra‹ soll es
denn für den Typen sein? Plätzchen im Büstenhalter? Perücke mit schulterlangen oder ganz langen Haaren? Zehn
Zentimeter oder vierzehn Zentimeter Absätze? Rote Lippen oder tiefrosa?

»Der Kunde hat eine Liste gemacht. Deshalb mache ich
mir auch keine Sorgen wegen einer Razzia«, erwiderte er
und suchte in seiner Hosentasche nach dem Zettel. »Bul-

len geben dir nämlich normalerweise nichts schriftlich. Die reden nur mit dir, damit sie deine Worte aufzeichnen können. Alles, was sie aufschreiben, kann eines Tages gegen sie verwendet werden, weil das vor Gericht als Beweis gilt...«

»Aha. Und was bekomme ich für all diese ›Extras‹? Es kostet Zeit und Mühe, mich fertig zu machen...«

Der Manager zog den zerknitterten Zettel mit breitem Grinsen, das seine Augen nicht erreichte, aus der Hosentasche und reichte ihn mir. »Was du verdienst. Du hast es mit einer Person von Geschmack und hohen Erwartungen zu tun, nicht mit irgendeinem Betrunkenen, der sich eher in die Hose pinkelt als zu kommen, wenn du seine Teile bearbeitest.«

An die Betrunkenen hätte er mich nicht erinnern müssen, aber als ich die handschriftliche Liste von Forderungen überflog, wünschte ich mir, dieser Kunde wäre ein ganz normaler Gast oder ein gelangweilter Geschäftsmann, der seiner vom Unternehmen bezahlten Geschäftsreise das letzte Quäntchen an Erregung abgewinnen wollte.

Ich blickte von der Liste auf und fragte: »Ist der Irre hier noch echt? Was soll das, das alles hier nur für einen Striptease zu verlangen? Und was hast du dir dabei gedacht, gerade mich zu fragen?«

»Ich habe dich nicht ausgesucht. Der Kunde hat nach dir gefragt. Stammkunden tun das manchmal, Herzchen. Und um deine Frage zu beantworten: Du kriegst eine Menge Kohle für eine Stunde Arbeit. Selbst wenn ich meinen Anteil abrechne. Also, sieh zu, dass du die Sachen auf der Liste zusammenbekommst. Einen Teil kann ich dir besorgen, und die anderen Mädchen helfen dir bestimmt auch aus.«

»Sorg nur dafür, dass sie mit einem Rasierapparat umgehen können«, rief ich ihm nach. Dann wandte ich mich erneut der Liste zu, die ich an meinen Schminkspiegel gelehnt hatte.

Anforderungen für den Striptease
Schamhaare rasiert, keine Stoppeln.
Kopf glatt geschoren.
Make-up:
Augen mit Kajal umrandet, dunkler Lidschatten.
Lippen scharlachrot, stark glänzend.
Büstenhalter, Stringtanga, etc.
Strumpfgürtel, Strümpfe, Spitze.
Achtzehn Zentimeter hohe Absätze.
Perücke sehr lang, lockig, hochgesteckt.
Schwere, hängende Ohrringe, viel Schmuck.
Nur blumiges Parfüm, kein Moschusduft.

Bevor ich noch einmal darüber nachdenken konnte, war mein Chef wieder zurück und brachte zwei Kolleginnen mit. Sie kamen gerade von ihrem Auftritt an der Stange, und ihre Körper glänzten vor Schweiß. Aber sie strahlten übers ganze Gesicht, was darauf schließen ließ, dass das Publikum gut mitgegangen war und sie die Stringtangas voller Geldscheine hatten. Desirat und Lina hatten Scheren, Rasierer und Rasierschaum dabei, und der Manager erklärte ihnen: »Ihr habt eine halbe Stunde Zeit vor eurem nächsten Auftritt. Sie gehört euch, bis der Kunde in Zimmer drei sie bekommt.« Dann drückte er sich an Lina und Desirat vorbei aus meiner Garderobe hinaus.

Er hatte noch nicht ganz die Tür zugeschlagen, da kniete

Desirat schon zwischen meinen gespreizten Beinen und schnitt mir mit der Schere die Schamlöckchen ab, während Lina sich meinem Kopf widmete. Ihr warmer Bauch und ihre Schenkel drückten sich wie eine schwere Decke an meinen Rücken. Während sie sich an mir zu schaffen machten, fragten sie mich nach dem Kunden, der auf mich wartete, aber ich konnte ihnen lediglich sagen, dass es sich trotz Rasur für mich lohnen würde.

Nach fünfzehn sinnlichen Minuten war mein gesamter Körper köstlich glatt und reagierte empfindlich auf jede Berührung. Lina, Desi und ich stellten uns vor den großen Spiegel an der Tür zu meiner Garderobe und bewunderten meine totale Nacktheit. Schüchtern befingerte Desi das zarte Fleisch über meiner Klit und flüsterte: »Der muss total auf glatte Haut stehen«. Lina rieb über meinen kahlen Kopf und fügte hinzu: »An deiner Stelle würde ich auch noch ein Trinkgeld verlangen: Er bekommt eine Menge zu sehen. Aber es ist alles wunderschön.« Sie lächelten mich an und verließen den Raum.

Meine längste, lockigste Perücke fühlte sich seltsam auf meinem kahlen Schädel an, und der Zwickel meines Stringtangas drückte sich in meine geschorene Spalte und ließ meine Klitoris vor Erregung zucken. Ich schminkte mich wie gewünscht und steckte die größten Kreolen, die ich besaß, durch die kleinen Löcher in meinen Ohrläppchen. Zum Schluss besprühte ich mich noch mit einem frischen, blumigen Eau de Toilette, betupfte meine Kniekehlen, den Ausschnitt und die Unterarme damit und war bereit für meinen Kunden. Aus irgendeinem Grund jedoch ging ich langsamer und zögerlicher als sonst zu Zimmer drei.

Dass dort ein echter Freak auf mich wartete, setzte ich voraus, aber was würde er sonst noch von mir erwarten, wenn ich erst einmal die Tür hinter mir geschlossen hatte? »Extras« konnte alles Mögliche heißen.

Ganz gleich jedoch, wie langsam ich auf den unsäglich hohen Absätzen ging, bald stand ich vor der Tür zu Zimmer drei. Es war niemand im Flur, sodass mich keiner sehen würde, wenn ich jetzt wegliefe, aber nachdem ich schon so einen Haufen Haare gelassen hatte, wollte ich die Aufgabe auch zu Ende bringen.

Unter der Tür drang gedämpftes, goldenes Licht hindurch; mein Kunde hatte zur Abwechslung mal das Licht eingeschaltet. Vermutlich wollte er sehen, wie es auf meiner nackten Haut spielte. Musik hörte ich jedoch nicht. Entweder hatte er sie noch nicht angestellt, oder aber er wollte sich erst entscheiden, wenn er wüsste, wie ich aussähe.

Das Herz schlug mir bis zum Hals, als ich die Finger um den schmierigen Türknopf legte und drehte. Mit halb geschlossenen Augen, damit mich das helle Licht nach dem Halbdunkel im Flur nicht so sehr blendete, stieß ich die Tür auf und trat mit eingezogenem Bauch ein. Erst als ich die Tür hinter mir wieder zufallen ließ, wandte ich träge den Kopf zum einzigen Stuhl im Zimmer, als wäre es mir völlig gleichgültig, wer darin säße. Aber dann riss ich meine geschminkten, von einem Kranz falscher Wimpern umgebenen Augen weit auf, und meine glänzend roten Lippen formten ein erstauntes »oh«.

Sie war von Kopf bis Fuß in raschelnde, weiße Spitze gekleidet – vom eng anliegenden Mieder, den langen, bis übers Handgelenk reichenden Ärmeln bis hin zur Wespentaille und den Falten des wadenlangen Rocks. An den wohlgeformten Waden trug sie Seidenstrümpfe mit Spitzenapplikationen, die mit winzigen Perlchen im Blumenmuster bestickt waren. Ihre Satinschuhe endeten in mörderischen Spitzen, und die Absätze waren womöglich noch höher und dünner als meine. Diese Schuhe waren so grausam, dass ich meinen Blick sofort wieder ihrem Körper zuwandte, ihren kegelförmigen Brüsten, über deren deutlich sichtbaren Nippeln diskret eine Applikation lag. Das Mieder war hochgeschlossen, aber ich konnte erkennen, dass die Haut am Hals schweißfeucht war. Ihr Gesicht war kaum zu beschreiben in all seiner widersprüchlichen Schönheit und Grausamkeit.

Ihre Haare waren ähnlich lang und lockig wie die meiner Perücke, allerdings rötlich und streng aus der breiten, weißen Stirn gekämmt. Ihr Gesicht war beinahe vollkommen – eine kleine Nase, ein zartes Kinn –, nur ihr dunkel geschminkter Mund war wie ein dünner Strich. Und ihre Augen? Sie schimmerten viel zu grün und erregten in mir sofort den Verdacht, dass sie farbige Kontaktlinsen trug. Sie waren mit einer haarfeinen Kajallinie umgeben, und auf dem oberen Lid lag blassgrauer Lidschatten. Ihre Wimpern waren so kurz, dass ich einen Moment lang glaubte, sie wäre ein Mann, aber kein Mann konnte eine so zarte Haut ohne den leisesten Anflug von Bartwuchs haben.

Als sich die dünnen Lippen zu einem ebenso dünnen Lächeln öffneten, erwartete ich fast, geifernde Reißzähne zu sehen, aber ich erblickte nur eine natürlich weiße Zahnreihe mit einer kleinen Lücke zwischen den Schneidezähnen. Ihre Augen lächelten nicht, sondern durchbohrten mich mit ihrem emotionslosen Starren.

Die Seide raschelte leise, als sie die Beine übereinander schlug. Sie legte die Hände in den Schoß, sodass ihre dick lackierten Nägel sich wie ovale Blutstropfen von dem weißen Stoff abhoben.

»Dreh dich um«, zischte sie und fixierte meinen parfümierten, schwitzenden Körper. Gehorsam trat ich näher, sodass ich direkt unter der einzigen Glühbirne im Raum stand. Während ich mich langsam vor ihr drehte, ließ ich meine Hände über die Rundung meiner Hüften, meine schmale Taille und meine Brüste gleiten. Als ich jedoch mit der Kreole spielte, die an meinem linken Ohrläppchen baumelte, schluckte sie sichtlich und forderte mich mit einer Kleinmädchenstimme auf: »Leg die Perücke ab.«

Ich hielt inne und zog mir mit einem Ruck die Perücke von meinem kahl geschorenen Schädel. Sie beugte sich vor, um meinen Kopf genau zu begutachten. Ich ließ die falschen Locken achtlos zu Boden gleiten und stand unsicher vor ihr, weil ich mich nackter fühlte, als ich mich jemals im G-String vor johlenden, brüllenden Kerlen gefühlt hatte, nackter sogar als völlig nackt vor einem Privatkunden, weil ohne die schützenden Haare auf dem Kopf meine wahren Konturen völlig bloßlagen.

Jetzt lächelte sie wirklich. Sie fuhr sich mit den Fingern durch ihre eigenen Locken und sagte leise: »Und jetzt den Büstenhalter und was auch immer du darunter auf deinen Nippeln hast.«

Mit meinen üblichen verführerischen Bewegungen wand ich mich aus dem Büstenhalter – erst den einen Träger, dann den anderen – und schälte meine Brüste aus den Push-up-Körbchen. Ich ließ den BH auf die Taille gleiten, und dort drehte ich den Verschluss nach vorne und hakte ihn auf, um ihn dann zu Boden zu schleudern. Aber diese Kundin jubelte mir nicht zu, und sie steckte mir auch keine Geldscheine ins Höschen, während ich meinen privaten Striptease für sie ablieferte. Ich spürte nur ihren starren Blick auf meinen Nippeln, und mir fiel ein, dass ich ja auch die Nippelaufsätze abnehmen musste. Es schmerzte ein wenig, weil sie angeklebt waren, aber es gelang mir, nicht das Gesicht zu verziehen. Nackt bis zur Taille, konzentrierte ich mich darauf, meine Brüste zu kneten und zu massieren und sie der Frau darzubieten.

Sie blickte mich unverwandt an, wobei ihr Blick von einem dunklen Nippel zum anderen glitt. Schließlich streichelte ich mit den Händen über meine Taille und meine Hüften, und sie befahl mir mit leiser, klarer Stimme: »Jetzt das Höschen, die Strümpfe, den Strumpfgürtel und die Schuhe. Aber langsam.«

Das hätte sie nicht extra zu betonen brauchen; ich war mittlerweile wegen der fehlenden Musik und der schützenden Anonymität meiner Perücke so verunsichert, dass meine Bewegungen nervös und ungeschickt wurden. Und so zog ich mein hoch geschnittenes Höschen nicht besonders graziös herunter, zerriss den Spitzenrand an einem der Strümpfe, als ich sie löste, und zerrte das Strumpfband wie einen Gummi auf meine Knöchel.

Als Letztes presste sich das pfirsichfarbene Dreieck meines Stringtangas feucht an meine enthaarte Scham. Der glänzende Stoff schimmerte im harten Licht, als ich meine Strümpfe herunterrollte. Als ich schließlich ohne Schuhe und Strümpfe vor ihr stand – dichter auf einmal als vorher –, konnte ich ihr Parfüm riechen, einen intensiv weiblichen Duft nach Rosen und Zimt und noch etwas Dunklerem, Stärkerem, Moschus oder Ambra. Ohne die hohen Absätze war ich ihr auch körperlich näher, und ich hörte ihr scharfes Atmen, als sie jede Pore meines entblößten Körpers in sich aufnahm.

Jetzt trug ich nur noch die Ohrringe und den Stringtanga, und folgerichtig murmelte sie: »Zieh alles aus. Du sollst völlig nackt sein.«

Die Ohrringe waren leicht – Kreolen gleiten problemlos aus den Löchern. Aber den Stringtanga auszuziehen erwies sich als mindestens ebenso schwierig wie mein erster Tanz an der Stange vor vielen, vielen Jahren. Die Aussicht darauf, einem Haufen johlender Männer einen Hauch von Pink zu zeigen, war weitaus weniger beängstigend als die Zurschaustellung meiner enthaarten Scham vor diesen dünnen, geschminkten Lippen.

Mit einer Hand bedeckte ich meinen Venushügel, während ich das enge Höschen langsam von Hüften und Hinterteil herunterzog und es schließlich zu Boden fallen ließ.

Ich bezweifle, dass ich so nackt, so völlig bloß zur Welt gekommen bin, aber als ich die Hand von meiner nassen Spalte nahm, fühlte ich mich sozusagen vorgeburtlich, überhaupt nicht sexy.

Die Kundin jedoch genoss meinen Anblick offensichtlich: Als sie wieder die Beine übereinander schlug, konnte ich ihre Säfte riechen, die sich mit dem Parfüm vermischten. Und in den Augenwinkeln war sogar die Spur eines echten Lächelns zu entdecken, während ihr Blick entzückt über meinen Körper wanderte.

»Reib dich«, befahl sie mir. Ich trat einen Schritt zurück, damit sie besser sehen konnte, wofür sie bezahlte, und hob meine Hände auf meinen glänzenden Schädel, ließ sie wieder hinuntergleiten, über die Rundung der Brüste, die Taille und über die Hüften bis hin zu meinem rasierten Hügel. Ich lehnte mich leicht zurück, zog meine Schamlippen auseinander, damit sie einen ungehinderten Blick auf die nass glänzenden inneren Lippen hatte und begann meine Klitoris mit der freien Hand zu streicheln. Dabei achtete ich darauf, die Hände so anzuwinkeln, dass alles genau zu sehen war.

Daran, wie sich ihr Spitzenmieder hob und senkte, erkannte ich, dass meine Darbietung sie anmachte, so, wie auch mein Körper auf meine Liebkosungen reagierte und klare, klebrige Flüssigkeit über die Innenseiten meiner Schenkel rinnen ließ. Ich schloss halb die Augen, als die ersten Zuckungen des Orgasmus durch meine Möse liefen, und sah die Kundin durch meine gesenkten Wimpern hindurch in einem schimmernden Lichtkranz.

Als die letzten Wellen des Orgasmus verebbten, betasteten kühle Finger die Falten meiner rasierten Schamlippen. Weiche, aber unglaublich starke Hände umfassten meine Hinterbacken, und sie schlug ihre Nägel tief in das weiche Fleisch, was einen Moment lang schmerzhaft, aber nicht unangenehm war. Sie zog mich so dicht an sich heran, dass meine Knie und mein unterer Bauch an die festen Rüschen ihres Rocks gedrückt wurden, und sagte leise: »Setz dich, und tanz langsam für mich.«

Da ich mich nicht seitwärts drehen konnte, musste ich mich so auf ihren Schoß setzen, dass ihre grünen Augen nur Zentimeter von meinen entfernt waren und ich ihren Atem auf den Wangen spürte.

Unter meinem bloßen Hinterteil und meiner immer

noch weit klaffenden Spalte spürte ich jede Applikation ihres Kleides wie einen kleinen Stachel, und meine Haut wurde brennend heiß. Und als ob ihr klar gewesen wäre, wie qualvoll der Stoff sich auf meiner nackten Haut anfühlte, drückte sie meinen Hintern noch fester auf ihren Rock und bewegte dabei die Beine. Da ich nicht genau wusste, was ich mit meinen Händen oder meinen Armen machen sollte, umschlang ich sie zögernd und legte die Hände leicht auf ihre Schulterblätter. Als ich sie berührte, erschauerte sie, fuhr mit den Lippen über meinen Hals und flüsterte: »Reib dich an mir. Ganz langsam.«

Also presste ich mich fest gegen ihren von Stoff umhüllten Körper und ließ meine Hüften sinnlich kreisen, bis sie begann, an meinen Ohrläppchen zu knabbern. Dann senkte sie den Kopf und saugte an meinen Nippeln, während ich nur ihren Duft einatmen und über ihren Rücken streicheln konnte. Der filigrane Stoff setzte meine Möse in Flammen, und meine Klit pochte und schmerzte, während meine Säfte auf ihren Rock flossen.

Als die letzten Wellen des zweiten Orgasmus innerhalb einer Stunde durch meinen Körper gingen, reckte ich mich nach hinten, um ein wenig kühle Luft an meine heiße, brennende Haut zu lassen.

Die Stelle, wo ich gekommen war, war dunkel-feucht und mit winzigen roten Punkten gesprenkelt. Als ich auf meinen Venushügel hinunterblickte, sah ich, dass auch dort die rasierte Haut von roten Pünktchen übersät war. Als sie meine Reaktion sah, ließ sie meine Taille los, hob einen Finger an die Lippen, beschmierte ihn mit Lippenstift und malte mit der Farbe einen Kussmund auf die nackte Haut. Diese falschen Lippen dort zu sehen war wesentlich erotischer als alle Küsse auf die Schamlippen, die ich jemals bekommen habe, ob nun von einem Mann oder einer Frau.

Einen Moment lang saß ich noch da, blickte in ihre kalten, gnadenlosen Augen, bis sich ihre dünnen Lippen öffneten und sie zischte: »Zieh dich an, und lass mich allein.«

Sie wandte jedoch den Blick nicht von mir, als ich meine Kleidung und meine Perücke aufhob, und sie betrachtete mich mit kühler Distanz, als ich mich anzog und schließlich, mit unvorhergesehenem Zögern, die Perücke wieder auf den Kopf setzte. Als ich dann wieder ebenso (oder fast so) bekleidet war wie sie, schien sie sich in sich selber zurückzuziehen. Sie schlug die Beine übereinander, verschränkte die Arme und schloss den Mund zu einer dünnen, waagrechten Linie, während sie den Blick abwandte.

Offensichtlich war ich entlassen, obwohl ich mich am liebsten noch einmal so vollständig entkleidet und mich vor ihr gerieben hätte, nur damit sie noch einmal gelächelt und so rasch geatmet hätte.

Bevor ich die Tür schloss, drehte ich mich noch einmal nach ihr um, um sie im Gedächtnis zu behalten: die Locken, die im harten Licht glänzten, ihr starrer Körper auf dem Stuhl ohne Armlehnen. Auch sie starrte mich aus ihren hellen Augen an, der Mund ein ausdrucksloser Strich.

Leise schloss ich die Tür (es wäre undenkbar gewesen, sie zuzuschlagen, damit hätte ich sicher den – vermutlich tödlichen – Zorn der Kundin auf mich gezogen) und taumelte auf brennenden Beinen in meine Garderobe. Meine Möse brannte, war aber seltsam befriedigt. Da ich keinen kratzigen Stoff auf meiner Haut ertragen konnte, riss ich mir die Kleider vom Leib und zog auch die Perücke ab. Dann betrachtete ich mich im Spiegel an der Tür.

Meine Haut war von zahllosen winzigen Kratzern überzogen, wie Kreuzstich auf Seide. Auch meine Spalte war unter dem Lippenstift-Kuss, den sie mir aufgemalt hatte, rosa gesprenkelt. Ich wollte gerade mit der Fingerspitze darüberfahren, als der Manager an die Tür klopfte.

»Schieben Sie es einfach unter der Tür durch, ja?«, rief ich, aber er entgegnete: »Es passt nicht, der Umschlag ist zu dick.«

Seufzend schlüpfte ich in meinen Morgenmantel und setzte mir eine meiner Perücken auf den Kopf. Ich öffnete die Tür gerade so weit, dass er mir den Umschlag hereinreichen konnte. Aber ich sah doch seinen nachdenklichen Gesichtsausdruck, als er fragte: »War es zu viel für dich? Ich wollte dir die Überraschung nicht nehmen.«

Bevor ich die Tür schloss, fügte er hinzu: »Offensichtlich hast du sie beeindruckt. Sie hat dich noch mal gebucht. Nächste Woche, um die gleiche Zeit, mit denselben Extras.«

Das hätte ich mir auch selber denken können. Als ich den Umschlag betastete, spürte ich sofort, dass sich ein Lady-Shaver darin befand. Ebenfalls nicht zu übersehen war das dicke Bündel Geldscheine, aber irgendwie fand ich das viele Geld bei weitem nicht so erregend wie den Damenrasierer oder die Erinnerung an die stachelige Spitze auf meiner nackten Haut.

Ganz zu schweigen von diesem Beinahe-Lächeln, als sie bei meinem Anblick einen Orgasmus hatte.

Als die Schritte meines Chefs sich von der Tür entfernten, schlüpfte ich aus dem Morgenmantel und nahm die Perücke ab, starrte meine enthüllte Nacktheit an, und mein Körper sehnte sich nach diesem verächtlichen und doch neckenden starren Blick, ein Sehnen, das sich noch verstärkte, als ich den Umschlag noch einmal betrachtete und feststellte, dass sie ihren Lippenabdruck auf dem Seidenpapier hinterlassen hatte, das ich in meinen zitternden Fingern hielt.

Größe und andere Probleme

Dr. Benito Bacardi war eine in aller Welt anerkannte Koryphäe auf dem Gebiet der Penisvergrößerung. Er hatte in der Urologie angefangen, sich dann jedoch der plastischen Chirurgie zugewandt und war während seiner Zeit in Hollywood berühmt geworden, als er für einen Pornostar namens Jeffrey Strong ein zweiunddreißig Zentimeter langes Organ geschaffen hatte. Das gewaltige Glied des Schauspielers sprengte sämtliche Zuschauerrekorde und löste eine Kettenreaktion an Merchandise-Artikeln aus.

Geschmack, Gier, Geschlecht und sexuelle Ansicht sind nur einige der Faktoren, die das Urteil eines Individuums darüber beeinflussen, ob zweiunddreißig Zentimeter eine durchschnittliche Länge, ein schlimmer Defekt oder ein Phallus-Gott sind, den man anbeten sollte. Auf einem Gebiet, wo Emotionen, Meinungen und Perspektiven so zufällig sind wie die Prozesse im Gehirn, die die verstärkte Blutzufuhr zu diesem Körperteil regulieren, wird selten rational diskutiert.

Und so erhob sich Amerikas Männlichkeit wie ein Mann, um sich Jeffrey Strongs kosmetischen Vorteil zunutze zu machen, weil den meisten zweiunddreißig Zentimeter äußerst großzügig vorkamen.

Dr. Bacardi äußerte in zahlreichen Interviews die Ansicht, seine Arbeit werde immer wertvoller in einem Klima, in dem die Verweiblichung der Natur eine Tatsache sei. Als Beispiel führte er den Niedergang des Florida-Panthers an, dessen armselige Sperma-Qualität nur auf die Hormone zurückzuführen sei, die er durch den Verzehr von Waschbären zu sich nehme. Und die Waschbären gäben diese Chemikalien weiter, weil sie sich von Fischen aus verschmutzten Flüssen ernährten.

Ausgehend von dieser Argumentation, rühmte Dr. Bacardi dann die Kühnheit seiner Techniken und erklärte, ein Schwanz könne gar nicht zu lang sein, ebenso wenig wie eine Frau zu dünn oder zu reich sein könne. Diese Äußerungen schockierten das Publikum in Los Angeles keineswegs, schließlich teilte es seine Meinung, aber verschiedene »Schönheitschirurgen« hielten ihn für unverantwortlich.

Dr. Bacardi wurde angezeigt, und man stellte Nachforschungen über ihn an.

Da außerdem ein Patient Anzeige gegen den Arzt erstattet hatte, weil seine Operation misslungen und ihm ein Skrotum in der Form hängender Hundeohren beschert hatte, beschloss Dr. Bacardi, seine Praxis von Beverly Hills nach Brasilien zu verlegen, wo die Gerichte verständnisvoller waren.

Hier bot Dr. Bacardi jetzt nach der Vervollkommnung diverser anderer Techniken die revolutionäre Transplantation des gesamten Organs an. Das war eine teure und riskante Operation, aber den Männern mit winzigem Phallus, die sein Wartezimmer bevölkerten, gab sie neue Hoffnung.

Er hatte dieses einzigartige Verfahren entwickelt, indem er Sportler, Popstars, Schriftsteller und so weiter aufgesucht und überredet hatte, ihm nach ihrem Tod ihre Genitalien zu hinterlassen. Das war einfacher, als man annehmen sollte, weil viele Spender sich geschmeichelt fühlten, dass ihre Männlichkeit zum Nutzen der Nachwelt weiterbestehen sollte, und wenn sie sich doch einmal unsicher waren, dann wurden sie von ihren Erben umgestimmt, die von den riesigen Geldsummen profitierten, die Dr. Bacardi in Aussicht stellte.

Er genoss den Ruf äußerster Diskretion (die posthume Kastration wurde in der Leichenhalle durchgeführt), und seine Idee, Geschenk-Zertifikate als »Goldenen Ersatz« anzubieten, erwies sich als äußerst beliebt, vor allem zu Weihnachten.

Schon bald war Dr. Bacardi in aller Munde, und Freiwillige wandten sich an ihn, die sich reichliche Entschädigung für ihre Männlichkeit erhofften, auf die sie stolz waren, die ihnen nach dem Tod jedoch nichts mehr nützte.

Dr. Bacardis Team aus hervorragend ausgebildeten Medizintechnikern fror das amputierte Organ ein und fertigte dann einen Abdruck davon an. Die Gussform wurde mit einer Poly-Latex-Mischung gefüllt, die Dr. Bacardi in Tokio entwickelt und unter dem Markennamen Mandex patentiert hatte. Das warme, fleischige Material war das Geheimnis seines Erfolgs und hob ihn unter allen anderen Institutionen auf diesem Gebiet hervor.

Probleme gab es nur, wenn Patienten unrealistische Forderungen stellten. Anscheinend wollten alle ein Johnny Weissmuller oder John Wayne werden, die allerdings beide nicht zu Dr. Bacardis »Sammlung« gehörten.

Problematisch wurde es auch, wenn die reicheren Patienten Exklusivität verlangten. Da deren Frauen bei Premieren ja auch nicht das gleiche Dolce-&-Gabbana-Kleid wie alle anderen tragen wollten, wollte der hochkarätige Hollywood-Nabob auch nicht in einem Sportstudio oder sonst wo sich mit einem Genital konfrontiert sehen, das seinem eigenen aufs Haar glich, weil irgendein anderer Mann ebenfalls einen von Dr. Bacardis »Bestsellern« erworben hatte.

Die meisten von Dr. Bacardis Patienten hatten keine Ahnung von der Fülle medizinischer Unglücksfälle, die dieses revolutionäre Verfahren mit sich bringen konnte. Also erzählte der Arzt ihnen gar nicht erst vom chronischen Ödem beispielsweise, und er erwähnte auch nicht die »Schauspielerin« Belize von Belize, die den Notarzt rufen musste, nachdem das frisch erworbene Transplantat ihres Freundes sich während des Liebesaktes gelöst hatte. Es war in ihrer Zervix stecken geblieben, was ihr großes Unbehagen bereitet hatte, da sie ihrer Meinung nach in Hollywood nur dann Karriere machen konnte, wenn alle ihre Körperöffnungen ungehinderten Zugang boten.

Davon berichtete Dr. Bacardi seinen Patienten nicht. Wenn der neue Penis nicht »griff« und sich in Matsch auflöste, oder wenn grünlicher Eiter unter der Vorhaut hervorsickerte oder violette Abszesse die Haut um das Schambein herum verunstalteten, gab Dr. Bacardi dem Patienten in aller Ruhe eine intravenöse Morphium-Injektion und versicherte ihm, diese Symptome seien »völlig normal«, da der Körper lediglich auf das schwerere Organ reagiere. Die Muskeln müssten sich erst an das Gewicht gewöhnen, und dadurch werde kurzfristig Stress im Gewebe verursacht.

Die meisten Infektionen könnten mit Antibiotika behandelt werden, und es gebe keinen Grund zur Sorge. Wenn die Schwellung erst einmal zurückgegangen sei, könne man die notwendigen Korrekturen vornehmen, um zu verhindern, dass das Organ völlig abfalle.

1991 kaufte Dr. Bacardi eine ganze Wagenladung afrikanisch-amerikanischer Spender (vierzehn Medizinstudenten waren bei einem Busunglück in Atlanta ums Leben gekommen) und nähte die Mandex-Repliken weiterhin weißhäutigen Bedürftigen an. Der Trend zur Zweifarbigkeit tauchte zuerst in Schwulendiscos auf und verbreitete sich von dort aus weiter. Das Thema wurde in den Medien ausführlich behandelt, weil damit gewisse kulturelle und philosophische Fragen verbunden waren, aber der Popularität der Klinik tat es keinen Abbruch.

Dirk Mannerheim lebte schon lange mit Kleinheit, ungefälliger Form und Warzen und hatte nun genug davon. Er war ein Zwerghahn auf einem Gebiet, wo nur schiere Größe zählte, und wollte jetzt auch endlich einmal Aufsehen erregen und seinen Anteil an Fitness-Studio-Schönheiten abbekommen. Er wollte oralen Sex. Er wollte ein Leben.

Und Dr. Bacardi konnte es ihm verschaffen.

Pearl saß auf einem Plastikgartenstuhl mit gespreizten Schenkeln vor dem offenen Kühlschrank. Sie war eine riesige Frau. Sie beugte sich vor, fühlte die Kühle auf ihrem Gesicht, liebte den Anblick der Lebensmittel und liebte Los Angeles, weil man hier alles bekam. Lebensmittel in

Supermärkten mit unendlichem Angebot in monströsen Gängen, die man nur mit motorisierten Einkaufswagen befahren konnte.

Sie verbrachte Stunden vor dem Kühlschrank, genoss die Kühle in der Sommerhitze, betastete, befingerte und starrte.

Der Kühlschrank hatte zehn Regalfächer, ein Tiefkühlfach, in das ganze Tonnen hineinpassten, eine Eismaschine, ein Milchfach, Schubladen für Feinkost, Flaschenkühler, Fächer für Dosen und fünf ausziehbare Gefrierkörbe.

Er war so groß, dass man darin wohnen konnte, und laut Dirk soll ein Mann namens Manuel das auch einmal getan haben. Pearl hatte seine Bohrmaschine in einer Salatschublade gefunden, aber jetzt lagen nur noch Schokoladenplätzchen darin.

Sie studierte einen Sirup von Mrs. Butterworth, das der Hersteller als »dickflüssig und gehaltvoll« beschrieb. Neben Mrs. Butterworth war der Boxer George Foreman auf dem Label eines Hackbratens abgebildet. Er trug seidene Shorts.

Pearl aß zwölf Erdnuss-Power-Kugeln, und ohne sich aus dem Stuhl oder vom Kühlschrank wegzubewegen, rief sie Dirk vom Handy aus an. Er lag im Krankenhaus Santa Maria Concepcion.

»Was ist?«, fuhr er sie an. »Ich habe Schmerzen.«

»Oh, mein Lieber«, sagte Pearl. »War die Operation erfolgreich?«

»Na ja, es ist ihnen gelungen, das Original abzuschneiden, wenn du das meinst. Und jetzt sind da überall Verbände und Schläuche...«

»Was machen sie denn mit dem alten?«, unterbrach sie ihn.

»Wenn sie auch nur einen Funken Verstand besitzen, werfen sie ihn in den Müll. Man kann ihn wohl kaum wiederverwenden.«

Im Hintergrund hörte man das Geräusch eines vorbeirollenden Bettes. Ein lautes Schreien ertönte.

»Oh, halt die Schnauze!«, brüllte Dirk. »Nein, nicht du, Pearl. Irgendein Typ hat eine Blutung.«

Es entstand eine kurze Pause. Der Schrei verhallte in der Ferne.

»Ich muss allerdings sagen«, fuhr Dirk fort, richtete sich vorsichtig auf und klappte die *Vogue* zu, in der er lustlos geblättert hatte, »ich muss allerdings sagen, dass ich im Großen und Ganzen erfreut bin. Sehr erfreut sogar. Er ist ein bisschen rot und weich, und es gibt da ein paar violette Venen, die offensichtlich nur zur Dekoration da sind, aber es ist doch deutlich zu sehen, dass Bacardi gute Arbeit geleistet hat. Echt gute Arbeit! Für sein Geld ist er sehr groß. Du weißt ja, dass ich mir den größten nicht leisten konnte – na ja, wer kann schon drei Millionen Dollar bezahlen? –, und letztendlich habe ich mich auch gegen den Jean Genet entschieden. Na ja, was soll ich auch mit einem Franzosen? Gerade ich! Ich würde einen Calvin jederzeit einem Yves vorziehen. Natürlich sind die Franzosen fabelhaft im Bett, obwohl meine Erfahrungen sich ja nur auf das eine Mal mit der Reiseleiterin auf dem Eiffelturm beschränken, und man sollte nicht verallgemeinern …

Jesus Christus, dieser fette Kerl von *Hard News* ist gerade hereingekommen, und du solltest mal die Hose sehen! Das fällt einem ja gar nicht so auf, wenn er die Beine unter seinem Nachrichtenschreibtisch hat.

Also, auf jeden Fall habe ich mich gegen den Jean Genet entschieden: hübscher Kopf, aber irgendwie passte er nicht zu mir. Bacardi hat versucht, mich zu dem Mussolini zu überreden, aber der war viel zu dünn, und er hat natürlich auch welche von der Königsfamilie, aber die fand ich jetzt nicht so verführerisch. Am Ende standen nur noch zwei auf der Liste, und ich habe mich für den Jean-Michel Basquiat entschieden.

Ich kann dir sagen, Schätzchen, das versteht man unter einem vernünftigen Einkauf. Ich stehe an der Schwelle zu meinem neuen Leben. Ich weiß es einfach! Die Krankenschwestern laufen mir schon nach, und die süße Anästhesistin hat versucht, mir einen zu blasen. Dazu ist es allerdings noch viel zu früh. Gott, diese Schmerzen! Ich kann mich selber kaum anfassen, und wenn ich aufs Klo gehe, habe ich das Gefühl, eine Wolke von Killerbienen am Schritt hängen zu haben.«

»Nun«, erwiderte Pearl, »hoffentlich geht es dir bis zur Oscar-Verleihung wieder besser. Wir müssen da nämlich unbedingt hin.«

»Ich weiß, ich weiß. Bis dahin bin ich zurück.«

Pearl legte auf und gab die Nummer für einen Wahrsage-Dienst ein („Göttliche Erfahrungen zu vernünftigen Preisen«).

»Hi!«, kreischte eine Stimme. »Bitte legen Sie nicht auf. Sie werden gleich mit einem unserer hellsehenden Operator verbunden. Dieser Anruf kostet Sie vier Dollar neunundneunzig pro Minute. Bitte legen Sie auf, wenn Sie unter achtzehn sind oder die Rechnung nicht bezahlen wollen.«

Es folgte das Pling einer New-Age-Harfe. Dann sagte eine weiche Stimme mit kalifornischem Akzent: »Mein Name ist Narine. Darf ich fragen, wie du heißt?«

»Pearl«, sagte Pearl.

»Hi, Schätzchen. Ich bin deine Priesterin für heute. Ich bin echte Hellseherin, und die Stimmen sagen mir bereits, dass du sehr schön und ein ganz besonderer Mensch bist.«

Pearl schwieg. Das kannte sie schon.

»Bist du noch dran, Liebes?«

»Ja«, erwiderte Pearl.

»Oh, gut. Ich arbeite mit dem Tarot. Die Karten lügen nie, aber es ist meine Pflicht, dich zu warnen. Nur wenige durchbrechen das Netz der Täuschung und begegnen dem Schatten in sich selbst. Hast du eine spezielle Frage?«

»Nein«, erwiderte Pearl. »Sag mir einfach nur, was du siehst.«

Sie hörte ein Schnauben, unterdrücktes Lachen und Karten, die auf eine Fläche gelegt wurden.

»Ich sehe, wie du im verborgenen Garten deiner Seele vor Freude tanzt. Der Engel der Auferstehung wird in sein mächtiges Horn blasen, und du wirst fliegen. Du sehnst dich nach fremden Göttern, Liebes.«

»Nein, tue ich nicht«, sagte Pearl.

Es gab Buddhisten in Burbank und Swedenborg-Anhänger in Glendale. Sie hatte Nazarener, Mennoniten und Feuersäulen gesehen. Sie lebte mit metaphysischem Chaos, und fremde Götter gab es überall, aber sie sehnte sich nicht nach ihnen.

Hier in Beverly Hills jedenfalls gab es keine fremden Götter. Hier gab es nur Dirks Haus: Holzböden, kahle weiße Wände, Glas und blauer Himmel.

Sie wickelte einen Schokoriegel aus und starrte auf ihre Fingernägel. Sie waren lang und gelb; eine Koreanerin hatte sie gestylt.

»Ah«, sagte Narine. »Der Ritter der Stäbe. Hat es einen Skandal in deiner Familie gegeben, hm?«

»Ja«, erwiderte Pearl. »Mein Vater sitzt im Gefängnis.«

»Darf ich fragen, weswegen?«

»Junk Bonds«, erwiderte Pearl.

»Oh ja, das liegt hier, ein Vermögen geht verloren, und die Liebenden stehen auf dem Kopf. Du musst sehr vorsichtig in moralischen Angelegenheiten sein. Ich sehe, dass du zu viel isst und trinkst.«

Gut, dachte Pearl.

Dann herrschte Schweigen. Pearl hörte, wie Narine im Hintergrund ein Sandwich bestellte. »Ich möchte gebackene Aubergine mit geröstetem Paprika, frischem Pesto, Tomaten, geschmolzenem Käse, Hummus, Avocado, Provolone, auf einem Baguette – nein, geben Sie mir lieber eine Pita-Tasche und dazu Karotten-Hijiki mit natriumarmer Sojasauce und ohne Chili-Flocken.«

In der Ferne hörte man das Heulen einer Polizeisirene, und im Radio verkündete ein Moderator, *Jesus Christ Superstar* sei eine tiefe, spirituelle Erfahrung.

Pearl blickte auf ihre Armbanduhr. Es war ein Uhr mittags. Gleich liefen *Die schockierendsten Medizin-Videos der Welt* auf Kanal 14.

»Ja«, sagte sie ins Leere.

»Ich habe wundervolle Neuigkeiten für dich, Schätzchen. Die Karten sagen, du begegnest dem Mann deiner Träume innerhalb der nächsten dreißig Tage, und ihr werdet euch ewig lieben. Hier ist er: der König. Er wird dich behandeln wie eine Königin.«

Pearl drückte das Handy ans Ohr und öffnete eine Tüte Gummibärchen. Dreißig Tage war nicht lang. Das war doch gar nichts. Ihr Vater hatte dreißig Jahre bekommen.

»Wie sieht er aus?«, fragte sie.

»Das können die Karten dir nicht sagen, Liebes. Aber ich kann dir versichern, dass es etwas Ernstes sein wird. Er will dich heiraten.«

»Ich will gar nicht heiraten«, erwiderte Pearl. »Ich will bloß Sex.«

»Oh«, sagte Narine. »Du bist wohl aus San Francisco.«

»Nein«, erwiderte Pearl, »aus Sunningdale.«

Diese teure Voraussage verwirrte sie. Sie träumte nie und fand es deshalb schwierig, sich den Mann vorzustellen, auf den Narine anspielte.

Sie wollte und brauchte nichts. Sie hatte doch alles. Sie tat, was sie wollte, ging, wohin sie wollte, und ließ sich einfach treiben. Sie schlief mit allen und jedem, aber diese Personen waren nie Gegenstand ihrer Fantasien.

Sie war offen. Sie hatte kein vorgegebenes Bild, kein Ideal – sie konnte sich in jeden verlieben.

Eine lange Reihe vollkommener und unvollkommener Männer zog sich durch ihr Leben. Sie war nicht wählerisch. Es waren Fakire und Glücksritter, Perverse und Trunkenbolde gewesen. Die meisten hatten gespürt, dass sie mit jedem schlief, deshalb fühlten sie sich auch von ihr, dem blonden Mädchen, das es wagte, so unmodern dick zu sein, angezogen.

Es hatte ein paar wilde Momente gegeben, und jetzt

sollte laut Narine endlich der Richtige auftauchen. Sie würde genau aufpassen müssen, damit sie ihn auch erkannte. Aber woher sollte sie wissen, dass er der Mann ihrer Träume wäre? Welches Zeichen würde sie bekommen? Wäre er irgendwie besonders hervorgehoben?

Es läutete an der Tür.

Pearl watschelte auf ihren Flip-Flops hin, um zu öffnen.

Auf der Veranda standen drei Personen: ein Mädchen, ein blonder Jugendlicher und ein Individuum mit rasiertem Schädel und diversen Nasenringen, das verkündete, es wolle sich den französischen Schrank anschauen.

»Der Schrank ist weg«, teilte Pearl ihm mit. »Dirk hat ihn verkauft.«

»Na, das hätte er mir aber sagen können, schließlich haben wir den Termin doch schon vor Wochen vereinbart! Dann hätte ich auch zum Yoga-Unterricht gehen können, und den verpasse ich jetzt. Gott! Ich arbeite für Tomenicole, und sie haben mich noch nie im Stich gelassen.«

Er brach in Tränen aus.

Pearl reichte ihm eine Party-Serviette mit einem goldenen Fleur-de-Lys-Motiv.

»Es tut mir Leid, Schätzchen«, schluchzte der Mann. »Es muss am Ginseng und am Kaffee liegen, und dann hatte ich noch meine Mutter zu Besuch, und – oh, Mann – die kennt keine Grenzen. Stell dir vor, sie ist oben ohne in meiner Diele herumgelaufen. Was soll man denn zu der Frau sagen, die einen zur Welt gebracht hat? Was soll man sagen, wenn man mit ihren *Brüsten* konfrontiert ist?«

Er fuhr in einem schwarzen Mazda Miata davon.

Dann machte das Mädchen den Mund auf. Sie hatte kurze, dunkle Haare und trug eine karierte Bluse, Jeans und Birkenstocks. Ihre Augen wirkten klein hinter den dicken Gläsern ihrer schwarzen Brille. In ihrer Gesäßtasche steckten Schraubenzieher, sie hatte einen Eimer dabei, und ihre Hände waren schmutzig.

»Ich bin J. T.«, sagte sie. »Ich bin gekommen, um die Fenster zu putzen.«

»Okay«, erwiderte Pearl.

Die dritte Person – eine gebräunte Vision in weißen Shorts und Sneakers – wollte den Pool reinigen. Er war ein Surfer im wahrsten Wortsinn und blickte Pearl aus großen, blauen Augen an.

Pearl konnte sich nicht erinnern, jemals etwas so Schönes gesehen zu haben.

»Tolles Haus«, sagte er. »Gehört es dir?«

»Nein«, erwiderte Pearl. »Es gehört meinem Onkel, Dirk Mannerheim. Ich versorge es, weil er in Rio ist und sich den Penis vergrößern lässt.«

»Oh«, sagte die Erscheinung, »wie schön für ihn.«

Sie saßen am Pool. Üppige Blumen wuchsen in der kalifornischen Sonne, und sie waren umgeben von schweren Düften.

Pearl sank halb nackt auf eine Liege, ein Berg von Brüsten und Arschbacken, runden Armen, riesigen Beinen und bebenden Fleischfalten.

»Mann«, sagte er und starrte auf ihren riesigen Körper, als betrachte er ein Kunstwerk. »Mann«, wiederholte er respektvoll und beeindruckt. »Du bist ganz Frau.«

»Danke«, sagte sie.

Er war langgliedrig, hatte hohe Wangenknochen und ein Lächeln, das ihm schon immer alle Türen geöffnet hatte.

Er trank Bier, eins nach dem anderen, redete über die Wellen auf Hawaii und wie es so war mit dem Surfen. Er war zweiundzwanzig.

Er sagte, er finde es anstrengend, sich den ganzen Tag in der Sonne aufzuhalten. Manchmal starrte er auf irgendetwas und rief: »Sieh dir das an.«

Wenn Pearl dann hinschaute, sah sie nichts als einen großen Käfer, irgendeinen Schmetterling oder einen Vogel.

»Bist du Deutsche?«, fragte er.

»Nein«, erwiderte sie. »Ich bin Engländerin. Na ja, das heißt, meine Mutter ist Engländerin. Mein Vater ist Amerikaner.«

»Ich bin auch Engländer«, sagte er. »Und Ire und Australier. Ich habe Verwandte in Sodbury. Gefällt es dir in L. A.?«

»Ja«, erwiderte Pearl. »Es ist sehr schön hier. Mir gefällt vor allem das Essen.«

»Möchtest du Sex?«, fragte er.

»Okay«, erwiderte sie.

Sie nahm ihn in den Mund und stellte zufrieden fest, wie groß er war, groß und hart. Kein Problem. Ungefähr achtzehn Zentimeter. Mit weniger verschwendete sie nicht gern ihre Zeit; das hatte keinen Zweck. Da aß sie besser eine Pizza. Ein kleiner Schwanz ist ein kleiner Schwanz ist ein kleiner Schwanz. Das hätte Gertrude Stein mal sagen sollen.

Dann lag er auf ihr, versank in der warmen Fleischmasse und legte den Kopf zwischen ihre riesigen, weichen Brüste, um ihren Herzschlag zu hören und den Duft ihrer Haut zu riechen. Mit einer Bewegung seiner Hüften stieß er in die Öffnung. Sie war fest, warm und nass; eine gute, feste Möse für so ein dickes Mädchen. Sie umhüllte ihn, und als er in sie hineinstieß, kam sie fast sofort, und ihre Muskelkontraktionen trugen ihn zum Höhepunkt. Die Erregung machte ihn schwindlig. Er liebte Neues. Alle anderen Babes hatten die gleiche Figur. Das war doch langweilig.

Erschauernd verschmolz er mit ihr. Dann zog er sich aus ihr zurück.

»Fast so gut wie die Nahtodeserfahrung am Venice Beach«, sagte er.

Dann ging er. Zeit zum Surfen.

Unsere fettleibige Pearl lehnte sich auf der Liege zurück, spürte die Sonne auf ihrem Gesicht, ihre Möse zuckte, und sie fragte sich, ob das wohl der Mann ihrer Träume gewesen wäre.

Die Fensterputzerin war so erhitzt von ihrer Arbeit, dass sie Pearl um ein Glas Weizengras-Saft bat.

»Das habe ich nicht«, entschuldigte sich Pearl.

»Oh«, sagte J. T., »aber du solltest Weizengras zu dir nehmen. Es hat aktive Kulturen.«

»Ich könnte dir etwas Köstliches zu trinken machen in Dirks Zehnstufenmixer.«

»Hast du denn fettlosen organischen Joghurt?«

»Ja«, log Pearl.

»Und Antioxydantien?«

»Ja«, log Pearl.

»Klingt gut.«

Pearl warf ein halbes Pfund Boysenbeeren, zwei Bananen, eine Mango und ein Limonensorbet in den Mixer und gab einen ordentlichen Schuss Tequila dazu. Dann stellte sie das Gerät an.

Der Mixer war mit rotierenden Messern ausgestattet, die so scharf und so schnell waren, dass man damit eine Prada-Handtasche zu Matsch verarbeiten konnte. Jedenfalls behauptete Dirk das.

Als der Mixvorgang beendet war, blinkte ein grünes Licht auf, und das Gerät spielte die Anfangsakkorde von »Nachmittag eines Fauns«, um zu verkünden, dass es seine Aufgabe erfüllt hatte.

Pearl schenkte ihrem Gast einen marineblauen, schaumigen Saft ein. Er schmeckte fruchtig und nach Frohsinn, konnte aber sicher keine Krankheiten verhindern.

»Schmeckt gut«, sagte J. T.

Sie lehnte sich mit dem Rücken an die Theke wie ein Mann in einer Bar und kippte den Saft hinunter, wie Männer Schnaps trinken, schnell und in einem Zug, wie Medizin.

Und es tat ihr auch gut. Angenehme Wärme stieg in ihr auf, färbte ihre Wangen rosig und machte sie selbstbewusst. Sie war bereit, dieser seltsamen englischen Frau ihre Lebensgeschichte zu erzählen. Auch die Sache mit dem Hai.

»Ich spüre förmlich, wie es mir besser geht«, sagte J. T.

Pearl erwähnte nicht, dass die Gesundheit, die ihrem Gast so zu Kopf stieg, etwas mit dem Alkohol zu tun hatte und keineswegs mit irgendwelchen Antioxydantien.

J. T. rief ein paar Freundinnen an, und kurz darauf war

Dirks Jacuzzi voller nackter Lesben. Alle behaupteten, sie seien Engländerinnen.

Da Pearl die Gastgeberin war, waren die meisten höflich und machten sich an ihr zu schaffen. Das war ja gut und schön, aber wo war der Mann ihrer Träume?

J. T., die sich um den Grill kümmerte, machte Straußen-Burger. Dann tanzten, diskutierten und rauchten sie alle, tanzten noch einmal und fuhren dann nach Hause in ihren Ford Pick-ups.

Pearl und J. T. standen da und blickten auf das Meer von funkelnden Lichtern unter sich. Los Angeles im Dunkeln war ein wunderbarer Anblick.

»So«, sagte Pearl.

»So«, sagte J. T.

Sie legten sich auf Pearls Bett, J. T., die noch völlig bekleidet war, suchte in den Falten von Pearls Schenkeln nach ihrer Klitoris und streichelte sie. Sie wusste ganz genau, was sie tat.

Ihre Hand tauchte in Pearls Wärme, und sie schob erst einen, dann zwei und schließlich vier Finger in ihre nasse Möse. Pearl wand sich vor Lust.

»Ich liebe deine Haare«, sagte J. T. und fuhr durch Pearls wilde, blonde Mähne. »Und ich liebe deine Titten«, fuhr sie fort und küsste Pearls große, braune Nippel. »Sie sind so groß, aber fest und wunderschön. Du erinnerst mich an Jayne Mansfield.«

Pearl küsste J. T. Sie konnte großartig küssen. J. T. lag auf ihr, wie ein Kind auf einer Luftmatratze, und genoss die Wärme und den Moschusduft der Erregung.

»Zieh dich aus, J. T.«, sagte Pearl. »Ich möchte dich gerne anfassen.«

Überraschenderweise und völlig unerwartet errötete das Mädchen.

»Na los, zeig uns deine Muschi.«

J. T. stellte sich ans Bettende und zog langsam ihre karierte Bluse aus. Feste, braune Brüste mit steifen Nippeln kamen zum Vorschein. Sie war so dünn wie ein Junge. Dann öffnete sie den Reißverschluss ihrer Jeans und zog sie herunter. Darunter wurde eine saubere, weiße Unterhose sichtbar, allerdings nicht die Unterwäsche, die Pearl erwartet hatte.

Die beiden Frauen blickten sich an, als J. T. aus ihrer Unterhose schlüpfte und einen großen, perfekten Penis präsentierte.

Keinen blöden Plastikdildo.

Keinen Lesben-Vibrator mit drei verschiedenen Geschwindigkeitsstufen.

Nichts Künstliches, sondern einen echten.

J. T. hatte einen echten Schwanz. Er war wunderschön, und er wurde gerade ziemlich steif.

»Oh«, sagte Pearl. »Was habe ich für ein Glück!«

»Macht es dir was aus?«, fragte J. T. schüchtern.

»Aber nein, Liebes, ich bin entzückt und erregt.«

J. T. setzte sich auf sie und steckte Pearl ihren Schwanz in den Mund. Liebevoll umfasste Pearl die Hinterbacken der anderen Frau, befingerte sie hier und da, bis sie wusste, was J. T. gefiel.

J. T. reagierte wie ein schwuler Junge. Es gefiel ihr, anal penetriert zu werden, weil anscheinend all ihre Gefühlsnerven dort waren. Und Pearl tat, was sie von ihr erwartete, steckte ihren Finger tief in das kleine, enge Loch und brachte die andere Frau zum Orgasmus.

»Gott«, stieß J. T. hervor, »ich glaube, ich habe mich verliebt.«

Sie war jetzt sehr hart. Sie hob sich Pearls Beine über die Schulter und rammte ihr ihren Schwanz mit einer solchen Kraft in die Möse, wie Pearl sie bisher noch nicht einmal bei einem Mann erlebt hatte. Ihre Feuchtigkeit schloss sich um den großartigen Schaft, der sie zu Höhepunkten brachte, die sie sich nie hätte träumen lassen.

Das Organ eines Mannes mit dem Wissen einer Frau: Was wollte sie mehr? Sie fühlte sich berührt und geliebt, am liebsten hätte sie geweint. Und tief im Innern wusste Pearl, dass sie den Mann ihrer Träume gefunden hatte.

CATHARINE MCCABE

Rettet Julie!

Reverend Billy Washburn saß an seinem Schreibtisch, eine Hand rieb langsam die wachsende Erektion in seiner Hose, mit der anderen blätterte er die Konkordanz hinten in seiner Bibel durch. Man konnte vermutlich mit Fug und Recht behaupten, dass der Mann nicht ganz bei der Sache war. Er sollte heute Abend im Bürgersaal predigen, aber bis jetzt hatte er nur den Anfang der Predigt im Kopf, und er musste sie noch mit Beispielen aus der Heiligen Schrift ausschmücken. Blicklos starrte er auf die Bibelseiten, während er mit der Hand unter dem Schreibtisch seinen steifen Penis bearbeitete.

Vor seinem geistigen Auge sah er nichts anderes vor sich als die riesigen, hüpfenden Brüste eines jungen Mädchens, das er nach der Versammlung am Abend zuvor »berührt« hatte. Sie war mit anderen nach vorne gekommen, um sich segnen zu lassen. In dem Moment jedoch, als er ihr die Hände auf den Kopf gelegt hatte, hatte sie ihm einen Zettel in die Hemdtasche gesteckt. Er hatte sich seine Überraschung nicht anmerken lassen und weitergemacht. Er hatte ihr kurz eine Anweisung ins Ohr geflüstert und sie dann nach hinten in die wartenden Arme des Kirchendieners gedrückt, der bereitstand, um die Erweckten aufzufangen. Ihre Augen folgten seinem Blick, als er ihre üppigen Brüste in dem engen, pinkfarbenen

Pullover betrachtete, und er ertappte sie dabei, wie sie ihm auf den Schritt schaute. Bevor er zum nächsten Gläubigen trat, zog er den Zettel aus der Tasche und las ihn.

»Ich möchte von Ihren heilenden Händen berührt werden« hatte dort gestanden. Billy hatte aufgeblickt und fragend eine Augenbraue hochgezogen, bevor er weitergelesen hatte. »Bitte, treffen Sie sich nach der Erweckungsversammlung mit mir hinter der Bühne. Sie werden nicht enttäuscht sein. In schwesterlicher Liebe, Julie.«

Der Helfer ließ sie sanft zu Boden gleiten, und Julie beobachtete Billy, wie er die Hände einem kahlköpfigen, älteren Mann auf die Schultern legte. Er flüsterte ihm Anweisungen ins Ohr und stieß auch ihn nach hinten.

»Halleluja! Bekennt eure Sünden dem Herrn, auf dass ihr gerettet werdet! Kann ich ein Amen hören, Brüder und Schwestern?«, rief Billy freudig und streckte die Arme siegreich hoch in die Luft. Aus den Augenwinkeln sah er, wie Julie sich hinkniete, sodass ihr kurzer, hellgrauer Faltenrock bis zu den Schenkeln hinaufrutschte. Dann stand sie auf, spreizte langsam die Beine und gestattete dem Reverend einen Blick auf die weichen, blonden Härchen ihrer unbedeckten Süße. Die ganze Zeit über jubelte die Menge ihre Antworten auf Billys Fragen, ein Wirrwarr von »Amen«, »Gelobt sei der Herr« und »Halleluja«. Bruder Washburn brach der Schweiß aus.

Alle Heiligen im Himmel, dachte er bei sich, während seine Erregung wuchs. Er nickte dem Assistenten zu, und innerhalb weniger Sekunden hatte man Julie auf die Füße geholfen, und sie wurde hinter die Bühne gebracht, um auf Billy zu warten.

Als er endlich die endlose Schlange der Gläubigen, die auf seine heilende Berührung warteten, hinter sich gebracht hatte, eilte er hinter die Bühne. Julie saß auf dem Boden, mit dem Rücken an die Wand gelehnt. Sie merkte zunächst nicht, dass er sie beobachtete, wie sie sich über die Brüste streichelte, aber dann schaute sie auf, und er musste lächeln, weil ihr Blick sofort auf seine riesige Erektion fiel. Erschauernd rieb sie ihre Oberschenkel aneinander, als ob sie seinen langen, dicken Liebesstab schon zwischen ihren Schamlippen spürte. Sie blickte ihn unverwandt an, während sie die Finger zwischen die Beine schob und begann, ihre Möse zu streicheln. Vergebung war ihr ja gewiss, da Bruder Washburn vor ihr stand.

»Ich glaube, es ist mir wie Schuppen von den Augen gefallen, Schwester Julie«, flüsterte Reverend Washburn und trat zu ihr. »Und ich glaube, dies ist der süßeste Zehnte, den ich jemals bekommen habe.« Er kniete sich neben sie und fuhr mit den Fingern leicht über ihre enge, nasse Spalte. Seufzend drückte Julie ihre Hüften gegen seine suchende Hand und wiegte langsam den Kopf, als er über die Nässe, die ihm über die Knöchel lief, streichelte. Sein Schwanz pochte, als er ihre heiße Möse befingerte, und in seinem Kopf jubelte eine Stimme: »Endlich! Sie hat lange genug dazu gebraucht!«

Julie war zu jedem seiner Auftritte an den Erweckungsabenden gekommen. Er war an ein Gefolge aus Frauen gewöhnt, die meisten von ihnen Hausfrauen, die sich mit ihren Ehemännern langweilten, mit Julie jedoch war es etwas anderes. Sie war viel jünger als die anderen Frauen. Zuerst war ihm nicht klar gewesen, dass er der Grund für ihre häufigen Besuche war, bei ihrem Erscheinen am dritten Abend jedoch hatte er den Blick nicht mehr von ihr wenden können.

Billy wusste mittlerweile, dass das junge Mädchen ihn heftig begehrte. Er beobachtete sie, wie sie ihre dicken, blonden langen Haare zurückwarf, wenn er die Bühne betrat, und er merkte, wie heiß sie auf die Ausbuchtung seines Schwanzes starrte, der sich an seine enge, schwarze Hose drückte. Wenn er sein Jackett auszog, seine Krawatte lockerte und die Ärmel seines gestärkten weißen Hemdes aufkrempelte, dann sah er, wie sie kurz die Augen schloss beim Anblick seiner entblößten, dicken Unterarme. Oh ja, der Reverend sorgte dafür, dass sie hinschaute, wenn sein Gesichtsausdruck sich von strengem Zorn zu sanftem Lachen wandelte, oder wenn die glatte Haut seines Gesichts vor Liebe zu jedem einzelnen Anwesenden, vor allem zu Julie, strahlte. Und wenn er die Bibel ergriff und sie vor ihren Augen schüttelte, schlug Julie die Beine übereinander, schob die Hand dazwischen und machte sich vor Lust beinahe in die Hose. Er wusste, dass sie angesichts der Stärke seiner langen, dicken Finger zitterte, und er fragte sich, wie lange es wohl dauern mochte, bis sie wie alle anderen zu ihm kam. Und er überlegte schon, wie er sie haben konnte, ohne erwischt zu werden.

In Julies Schule redeten alle Mädchen davon, wie gerne sie Reverend Washburn bitten würden, sie zu retten, damit sie seine Hände auf ihrem Körper spürten. Auf der Toilette malten sie einander aus, wie sie zu seinen Füßen beten würden, damit sie seine heilende Berührung spürten. Julie lag nach dem ersten Erweckungsabend die ganze

Nacht wach, und auch in den folgenden Nächten stand ihr Körper in Flammen. So etwas hatte sie noch nie empfunden, und vor allem waren ihre Sinne an jenen Stellen ihres Körpers geweckt worden, die ihre Mutter ihr immer als tabu hingestellt hatte. Deshalb versuchte Julie in ihrem Bett unter der kühlen Brise ihres Deckenventilators auch nur im Dunkeln, ihr Verlangen zu stillen.

Es war viel zu heiß für das leichte Baumwollnachthemd, auf dem ihre Mutter für die Nacht bestand, deshalb wartete Julie, bis ihre Mutter wieder nach unten gegangen war. Dann stand sie auf, schloss leise die Tür ihres Zimmers und zog sich das Nachthemd über den Kopf. Im Schein des Mondes betrachtete sie sich im Spiegel und beobachtete fasziniert, wie ihre schlanken Finger über ihre weiche Haut glitten und ihre Nippel so lange reizten, bis sie heiß und fest waren und die Lust wie ein Stromschlag durch ihren Körper fuhr. Dann schlüpfte sie zitternd vor unerwidertem Verlangen wieder unter die Decke. Sie schloss die Augen, ihre Hand glitt zwischen ihre Beine, sie zog ihre Schamlippen auseinander und begann das Zentrum ihres Verlangens zu streicheln.

Überrascht keuchte sie auf, als sie die geschwollene, zarte Knospe berührte. Je schneller sie sie mit dem Finger umkreiste, desto intensiver wurde das Gefühl, sodass sie beinahe zögerte weiterzumachen, aus Sorge, sie könne daran sterben. Sie ließ die Lust ein wenig abklingen, aber dann berührte sie sich erneut und ließ den Finger sogar ein wenig weiter gleiten, wo die Nässe aus ihrer jungfräulichen Spalte sickerte. Ihr ganzer Körper prickelte, als sie ihr weiches Geschlecht leicht rieb und immer wieder neckend gegen die Spitze ihrer Klitoris stieß.

Sie wappnete sich gegen den Tod – ihre Mutter hatte ihr eingeredet, dass das passieren würde – und streichelte ihre geschwollene Knospe immer schneller, damit die böse Tat, die sie begonnen hatte, ein Ende fand. Es dauerte nicht lange, und eine innere Explosion baute sich in ihr auf, die zu einer ungeheuren Welle der Lust wurde und sie in ihrem schmalen Bett überschwemmte. Mit übermenschlicher Anstrengung gelang es ihr, nicht laut aufzuschreien, aber insgeheim flehte sie Billy Washburn an, sie vom Tod zu erretten. Allerdings war sie der festen Überzeugung, dass sie für ihren Wunsch, er möge ihr ebenso viel Lust bereiten, wie sie sich selbst, direkt in die Hölle käme. Tränen strömten ihr über die Wangen, als sie auf dem Rücken lag und zitternd ihre erste Klimax erlebte. Und als diese endlich nachließ, stellte sie fest, dass sie nicht gestorben war. Ihre Mutter hatte gelogen.

Auf den Holzdielen hinter der Bühne lag Julie für Reverend Washburns streichelnde Finger bereit. Er hörte ihr rasches Atmen, als er leicht die Spitze seines Zeigefingers gegen ihre Klitoris presste, und als er darüberrieb, zuckten ihre Hüften.

»Werden Sie mich retten, Reverend?«, murmelte sie. »Ich bin eine bedürftige Sünderin. Meine Qual ist groß, und nur Sie können mich davor bewahren, noch tiefer zu fallen.« Julie blickte ihn mit ihren großen, blauen Augen an, und ihre weichen, blonden Haare fielen in Locken um ihr Gesicht. Billy erschien sie wie ein Engel. Ihre Nase war klein und perfekt; ihre üppigen Lippen waren von Natur aus rot, und sie glänzten, als sie mit der Zungenspitze darüberfuhr. Er konnte es förmlich spüren, wie diese Zunge über seine Eichel glitt. Er erschauerte bei dieser Vision, und seine Finger glitten wie von selber unter Julies Pullover zu den harten, aufgerichteten Nippeln ihrer Brüste. Als er hineinkniff, stockte Julie der Atem.

»Komm mit mir, Schwester Julie. Ich glaube, wir sind die Antwort auf unsere Gebete«, sagte Billy und stand auf. Er streckte seine Hand aus und half Julie auf die Füße, wobei er sie an sich zog, bis ihre Körper ineinander verschmolzen. Dann drehte er sie um und schob sie in die Wärme der südlichen Nacht hinaus. Sie gingen zum Fluss an die Stelle, wo am Nachmittag die Taufen stattgefunden hatten.

»Bist du getauft, Schwester?«, fragte Billy mit fester, befehlsgewohnter Stimme. Julie schüttelte den Kopf und senkte beschämt die Augen. »Dann gibt es keinen besseren Moment als jetzt, um dich in den heilenden Fluten des Geistes einzutauchen, Schwester. Zieh deine Schuhe aus, und ich werde dir bei Rock und Pullover helfen«, erklärte er. Die Ausbuchtung in seiner Hose wurde langsam schmerzhaft und sehnte sich nach Erfüllung.

»Ohne Kleider, Reverend?«, flüsterte Julie.

»Ja, Schwester. Zwischen dir und dem Wasser sollte keine Barriere mehr sein«, erwiderte Billy Washburn und begann selber, Hemd und Schuhe abzulegen. Er beobachtete Julies Gesicht, während er sich entkleidete. Sein Brustkorb und seine Arme wirkten im Mondschein wie aus Marmor gemeißelt. Mit nacktem Oberkörper trat Billy zu Julie und zog ihr langsam den Pullover hoch. Ihr Kopf wurde noch davon bedeckt, als er bereits jede ihrer Brustwarzen in den Mund nahm. Die zarten, jungen Nippel fühlten sich wunderbar an seiner Zunge an, und Julie hatte das Gefühl, zwischen ihren Beinen würden die Flammen der Hölle lodern.

Billy hörte ihr leises Stöhnen, als er an ihnen knabberte und saugte, und er hinterließ eine feuchte Spur kleiner Küsse auf ihrer weichen Haut. Sie war nicht wie die anderen Frauen, deren Brüste hingen, weil sie zu viele Kinder gestillt hatten, und deren Beine von blauen Adern durchzogen waren von den zahlreichen Schwangerschaften. Julie war jung, intakt und gehörte ihm ganz alleine.

»Stöhnst du für den Herrn, Schwester Julie?«, flüsterte er, als er ihr den pinkfarbenen Pullover schließlich ganz auszog.

»Ich stehe in Flammen, Bruder Billy. Ich habe so schlimmes Verlangen, und wenn Sie mir nicht helfen, es zu überwinden, dann muss ich bestimmt als unerfüllte Sünderin sterben«, wisperte sie und suchte mit ihren zarten Lippen seinen Mund.

Billy öffnete den Reißverschluss seiner Hose und schlüpfte aus Hose und Unterhose. »Komm mit ins kühle Wasser, Schwester Julie«, murmelte er an ihrem Mund und ließ seine Lippen über ihr Kinn bis zu der glatten Haut an ihrem Hals gleiten.

Er sah, dass Julie fasziniert seinen großen Schwanz betrachtete. Sie erschauerte in einer Mischung aus Lust und Angst. Jetzt waren sie beide völlig nackt. Julie keuchte vor Verlangen, als sie seinen beinahe haarlosen Bauch und seine Brust an ihrem Körper spürte. Billy nahm sie in die Arme und trug sie zum Fluss. Mit zwei kraftvollen Schritten war er im Wasser. Sie spürte sein leichtes Taumeln, als er gegen die Strömung im Fluss ankämpfte, aber er ging weiter in die Dunkelheit hinein, bis das kalte Wasser Julies Hüften umspülte. Sie wand sich in seinen Armen.

Bruder Washburn lachte leise in Julies weiche Haare. »Ah, Schwester, versuch nicht, dem Unvermeidlichen zu entrinnen. Ich habe beschlossen, dich im Fluss zu taufen, wo das Wasser unsere Sünden wegspülen kann.« Er setzte sie ab und gab ihr einen leidenschaftlichen Kuss. Sie hatte nicht gewusst, dass aus der bloßen Verbindung zweier Münder ein solches Feuer entstehen konnte. Wieder suchte er mit den Fingern die Hitze zwischen ihren Beinen, wobei er ihre Knospe so neckte, wie sie selber es nie vermocht hätte.

»Es ist schrecklich sündig, Bruder Washburn, nicht wahr?«, fragte sie. »Was Sie mit mir machen, fühlt sich sündig an, und als ich es bei mir selber getan habe, bin ich nicht gestorben, wie meine Mutter mir gesagt hat. Ich lag im Bett und hatte Angst zu vollenden, was ich begonnen hatte, aber ich konnte nicht anders. Ist es alles eine Lüge?«, fügte sie zweifelnd hinzu. Bei ihrem Geständnis, sich selbst berührt zu haben, richtete sich Billys Schwanz steif auf, und er stellte sich vor, wie ihre Finger an ihrer Spalte spielten.

»Zeig mir, wie du es getan hast, Schwesterchen. Wenn ich es sehe, kann ich dir sagen, ob es böse war oder nicht«, flüsterte er an ihrem Ohr, während er immer weiter um ihre geschwollene Klitoris herumrieb. Er zog sich von Julie zurück, die ihm die Hüften entgegendrängte und ihn verlangend anblickte.

»Nein, Schwester Julie. Du musst brav sein und es mir zeigen«, drängte er sanft.

Damit er nicht böse auf sie wurde, tat Julie, was er von

ihr verlangte, und Billy schaute zu, wie sie ihre schlanke Hand zwischen ihre Schenkel legte. Sie blickte ihn unverwandt an und begann so zu masturbieren, wie sie es seit jener Nacht immer wieder tat.

»Sag mir, woran du gedacht hast, als du es getan hast«, forderte er sie auf, während seine eigene Hand zu seinem steifen Schwanz glitt und ihn langsam rieb. Das Wasser schlug kühl gegen seine Eier, was das angespannte Gefühl in seinen Lenden noch verstärkte.

»An Sie, Sir, ich denke immer an Sie«, seufzte Julie. »Ich denke daran, wie Ihre Hände die Bibel halten, und dann streicheln Sie mich mit Ihren Fingern hier unten.« Julie blickte an sich hinunter. »Ich denke daran, wie Ihre Finger in mich hineingleiten, und dann frage ich mich auch, was da zwischen Ihren Beinen liegt«, hauchte sie. »Es ist so groß.«

Billy lächelte über ihre Unschuld, während er immer weiter seinen pochenden Schwanz streichelte. Sie war wirklich das sprichwörtliche Opferlamm, aber statt sich vor seinem Messer zu fürchten, sprang sie fröhlich auf den Altar und entblößte ihren Körper für ihn. Er hielt seinen großen Schwanz aus dem Wasser, damit sie sehen konnte, wie er ihn rieb. Dann kniete er sich vor sie und fragte: »Möchtest du ihn anfassen, Schwester?«

»Ich habe Angst, in die Hölle zu kommen oder zu sterben oder…« Sie brach ab, weil sie die freie Hand schon erhoben hatte, um die Spitze zu berühren, die im Mondschein glänzte.

»Es ist schon in Ordnung, Julie. Du wirst nicht sterben. Und du kommst auch nicht in die Hölle. Wenn du mich berührst, wird es sein, als ob du den Heiligen Geist berührst. Fass mich an, und du wirst gerettet!«, erklärte Billy in dem leidenschaftlichen Tonfall des Predigers, den sie kannte. Julies Hand griff nach Billys langem Schaft, und er legte seine Finger darüber, um ihr die Bewegungen der Lust zu zeigen.

»Das wird mich retten, Bruder Billy?«, flüsterte sie.

»Es wird dich noch schneller retten, wenn du ihn küsst«, erwiderte er gepresst. Julie zog die Spitze von Billys Schwanz an ihre geschlossenen Lippen und verrieb den Lusttropfen auf ihrem Mund, bevor sie ihn ableckte.

Der leicht salzige Geschmack erstaunte sie, und in ihrem Verlangen, noch mehr Rettung zu finden, öffnete sie den Mund und umschloss den steifen Schwanz mit den Lippen. Billys Finger tauchten erneut in ihre Hitze, und als er wieder ihre gierige Möse streichelte, benutzte sie beide Hände, um ihn zu reiben, während er langsam in ihren Mund hineinstieß. Die plötzlichen Zuckungen ihres Orgasmus überraschten ihn, und in einer Mischung aus Schmerz und Lust schrie sie auf, als er versuchte, seine Finger in ihren noch ungeöffneten Körper zu schieben.

»Du bist als Jungfrau zu mir gekommen, Schwester Julie? Das ist das größte Geschenk, das du einem Mann machen kannst. Durch diesen Akt der Unterwerfung kommst du bestimmt in den Himmel«, sagte er erfreut. Sanft zog er seinen Schwanz aus ihrem Mund und legte sich auf sie. Das Wasser umspülte sie, als Julie sich an ihn drängte und sich ihm entgegenbog. Ihre Hitze wuchs, als er seine Härte zwischen ihren Liebeslippen rieb und ihre Klitoris mit den langen Bewegungen seiner Hüften streichelte. Er wollte, dass sie kurz vor dem Höhepunkt stand, bevor er in sie eindrang. Nach diesem Abend würde er sie bestimmt so oft wie möglich nehmen wollen. Er hatte noch nie ein so junges, williges Mädchen gehabt, und es war ihm gleichgültig, dass sie kaum siebzehn war.

Billy schob Julies Körper ein wenig mehr ans Ufer, sodass nur noch ihre Hüften im Wasser lagen, während er sich zwischen ihre Schenkel kniete und die Lippen auf ihren Venushügel drückte. Sie schrie ungläubig auf, als sein Mund ihre Knospe suchte, weil sie so ein wunderbares Gefühl dabei empfand, und sie seufzte vor Verlangen, als er mit der Zunge über ihre geschwollene Klit fuhr und sie langsam leckte, bis sich die ersten Vorboten ihres Orgasmus ankündigten. Rasch drang er in sie ein, und in diesem Moment bebte und schrie sie vor Lust auf. Auch er kam in langen, heftigen Zuckungen, und sein Sperma schoss heiß heraus und taufte ihr Geschlecht. Stöhnend schlang sie die Beine um ihn, um ihn ganz tief in sich zu spüren.

»Halleluja, Billy! Du hast mich mit dem Heiligen Geist erfüllt und mich vor der Verdammnis der Selbstbeschmutzung gerettet!«

Mit aller Macht stieß Billy noch einmal tief in Julies zuckenden Unterleib. In diesem Moment glaubte er selber, eine Seele vor den Flammen der Hölle gerettet zu haben.

»Kann ich ein Amen hören, Schwester?«, flüsterte er, als der letzte Schauer seines Orgasmus verebbte.

»Amen, Bruder«, flüsterte sie, und die Lust, die er gerade erst in ihr geweckt hatte, regte sich von neuem. Er spürte, wie sich ihre Muskeln eng um seinen härter werdenden Schaft schlossen. Oh Mann, sie ist ganz schön heißblütig, dachte er und begann erneut, langsam in sie zu stoßen.

Eine von Billy Washburns Händen lag immer noch auf dem aufgeschlagenen Buch, und mit der anderen streichelte er seine Härte, als plötzlich die Tür zu seinem Büro aufging. Als er aufblickte, sah er Julie, die rasch die Tür schloss und sich von innen dagegenlehnte.

»Hast du eine Minute Zeit, Bruder Washburn?«, fragte sie leise mit hoffnungsvoller Stimme.

»Ich habe gerade an dich gedacht, Schwester«, erwiderte er. Er stand auf, trat auf das junge Mädchen zu und nahm sie in die Arme. »Müsstest du nicht eigentlich in der Schule sein?«, fragte er. Die Sorge, mit ihr erwischt zu werden, war beinahe stärker als sein Verlangen, auf der Stelle mit ihr zu schlafen.

»Ja, aber ich habe die sechste Stunde blaugemacht. Ich habe behauptet, mir wäre nicht gut, und bin nach Hause gegangen. Bruder Billy, eine Freundin von mir möchte auch gerettet werden. Als ich ihr erzählt habe, wie du mir gestern Abend geholfen hast, hat sie gebettelt, dass sie heute mitkommen wolle.«

Billy drehte sich der Magen um bei dem Gedanken, dass sie jemand anderem von ihm erzählt hatte, aber die Aussicht, eine weitere Seele erretten zu können, reizte ihn sehr, und er mochte ihr die Bitte nicht abschlagen. Er musste nur erst einmal herauskriegen, was Julie dem Mädchen erzählt hatte.

»Du weißt, Julie, dass ich keine Gelegenheit ungenutzt lasse, jemandem zu helfen, und ich werde es dieses Mal dir zuliebe tun, aber zuerst musst du mir etwas versprechen.«

Julie blickte ihn mit so großen, vertrauensvollen Augen an, dass er es nicht übers Herz brachte, sie auszuschimpfen.

»Süße, erzähl nicht jedem, was wir getan haben. Er-rettung ist etwas sehr Privates. Ich bewundere deinen Wunsch, die Menschen zu Gott zu bringen, aber sie soll-ten selber herausfinden, wie sie dorthin gelangen, ohne dass du ihnen alles erzählst. Okay? Und jetzt möchte ich ein Amen von dir hören, Schwester!« Lächelnd zog Billy Julies weichen Körper an sich, während sie leise »Amen« hauchte.

Der Reverend erschauerte, als ihm klar wurde, wie tief ihre Lust war. »Und, wo ist denn deine Freundin, Süße?«, flüsterte er und gab ihr einen leichten Kuss.

Julie drehte sich um und öffnete die Tür. Draußen stand eines der hübschesten Mädchen, das Billy jemals gesehen hatte, und rang die Hände. Sie war kleiner als Julie und ein wenig kräftiger, aber genauso reif, und sie blickte ihn hoffnungsvoll an. Er erinnerte sich, sie vor-gestern Abend auf der Erweckungsversammlung neben Julie gesehen zu haben. Er hatte darauf gewartet, dass sie nach vorne kam, aber schließlich hatte es keines der bei-den Mädchen gewagt. Und jetzt standen sie beide vor ihm. Die Wege des Herrn waren unergründlich!

»Bist du erweckt worden, Schwester? Wie heißt du, meine Liebe?«, fragte er das junge Mädchen, als es ein-trat.

»Clarissa, Bruder Washburn. Ich bin Clarissa und habe darauf gewartet, dass Sie mich retten«, antwortete sie mit leiser, heiserer Stimme, bei der er sofort eine Erektion be-kam. Billy ergriff ihre Hand und führte sie zu seinem Schreibtisch. Dort setzte er sich und nahm sie zwischen seine Beine.

»Guter Gott!«, dachte er. Ihr Körper roch nach Lavendel, und die Nippel ihrer Brüste traten schon deutlich hervor wie kleine Kieselsteine. Er konnte es kaum erwarten, sie zu schmecken.

An junge Mädchen kann man sich definitiv gewöhnen, dachte er.

»Schwester Julie, bitte schließ die Tür ab, und hilf mir. Da du sie hierher gebracht hast, sollst du an der Errettung dieses Mädchens teilhaben. Ich werde dich in meiner Arbeit unterweisen.«

»Wie du wünschst, Bruder Washburn«, erwiderte Julie lächelnd und senkte den Kopf.

Nervös rieb Clarissa sich die Hände an ihrer dünnen Baumwollbluse. Sie zitterte am ganzen Leib in einer Mischung aus Angst und Verlangen, als Billy begann, die Schreibtischplatte leer zu räumen. Auch seine Hände zitterten, als er daran dachte, was er tun wollte. Hastig schob er die Papiere beiseite, um Platz für sie zu machen. Sein Schwanz war so hart, dass er sich schmerzhaft gegen die Hose presste, als ob er bereits wüsste, dass ihn ein heißes, enges, jungfräuliches Loch erwartete.

»Schwester Julie, hilf bitte Schwester Clarissa beim Aufknöpfen der Bluse, ja?«, bat er und warf rasch den letzten Stapel Bücher und Unterlagen zu Boden. Julie trat zu ihrer Freundin und knöpfte langsam die hellrosa Baumwollbluse auf. Sie warf ihm einen Blick zu, als sie mit zitternden Fingern kurz über Clarissas kleine Brüste fuhr. Clarissa erschauerte und drückte sich den warmen Handflächen der Freundin entgegen.

»Fühlt es sich gut an, errettet zu werden, Bruder Washburn?«, fragte sie mit ihrer rauchigen Stimme, die einen faszinierenden Kontrast zur Unschuld ihrer Frage darstellte. Billy lachte und trat noch einmal an die Tür, um zu überprüfen, ob sie auch tatsächlich abgeschlossen war. Oh ja! Nichts fühlte sich besser an als diese Art von Errettung, vor allem mit einer dieser jungen Damen. Seine Antwort verband er jedoch mit einer kleinen Predigt.

»Schwester Clarissa«, hob er an, »manchmal musst du etwas Kleines aufgeben, um etwas Großes zu gewinnen. Das Aufgeben schmerzt ein wenig, aber was du dafür erhältst, schenkt dir mehr Freude, als du dir vorstellen kannst!« Langsam trat Billy an den Schreibtisch zurück und schaute zu, wie Julie Clarissa die Bluse auszog. Seine Augen glänzten vor Begeisterung, und während er die beiden Mädchen beobachtete, wurde sein Glied immer steifer. Auch Clarissa merkte, wie es zwischen ihren Beinen zu pochen begann.

»Dreh dich um, damit ich deinen Büstenhalter aufhaken kann.« Stumm gehorchte Clarissa und wandte Julie den Rücken zu, damit die Freundin den BH öffnen und zu Boden gleiten lassen konnte. Zufrieden stellte Billy fest, dass Clarissa Gänsehaut hatte und ihre Nippel sich aufrichteten, als sie Julies Finger an ihrem Rücken spürte. Sie wand sich, um das prickelige, nasse, geschwollene Gefühl zwischen ihren Beinen loszuwerden.

Reverend Washburn sah, wie Julie leicht um die Brüste ihrer Freundin streichelte und dann an den Nippeln zog, um sie noch mehr aufzurichten. Ihm lief das Wasser im Mund zusammen, und unwillkürlich glitt seine Hand zu seinem geschwollenen Stab, der gegen seinen Schenkel drückte.

»Setz dich auf meinen Schreibtisch, Schwester Clarissa«, wies er das Mädchen an und setzte sich auf seinen Schreibtischstuhl. Julie trat zur Seite, um zuzuschauen. Als Clarissa sich gesetzt hatte, rollte Billy mit dem Stuhl nach vorne, bis er sich fast zwischen ihren Knien befand. Dann zog er dem Mädchen die Schnürschuhe aus und stellte sie auf den Boden. Er rollte ihre dicken Baumwollsocken herunter und legte sie ebenfalls zu Boden. Mit den Fingern glitt er über die Füße und drückte sie in seinen Schoß, wo ihre Zehen sich unschuldig gegen seine Härte pressten. Er spürte, wie Clarissa vor Erregung zitterte. Billy stieß einen Seufzer aus, schob ihre Knie auseinander und stellte ihre Füße auf die Armlehnen. Schmunzelnd betrachtete er ihre pinkfarben lackierten Fußnägel.

»Schwester Clarissa, du bist ja fast eine erwachsene Frau!«, sagte er. Clarissa hatte sich nach hinten gelehnt und auf ihre Ellbogen aufgestützt. Billy schob seinen Stuhl ein wenig zurück und fuhr mit den Handflächen über die Innenseiten ihrer Knöchel. Als er ihre Waden streichelte, warf sie den Kopf zurück und schloss die Augen. Die weiße Haut ihrer Schultern war glatt und weich. Billy schlug das Herz bis zum Hals, als er das Mädchen vor sich betrachtete. Mit einem Seitenblick überzeugte er sich, dass Julie zuschaute. Sie blickte wie gebannt zu ihrer Freundin, und die Ader an ihrem Hals pochte.

Bevor er fortfuhr, erhob sich Bruder Washburn und leckte über Schwester Clarissas dunkelbraune Nippel. Sie erschauerte, als seine heiße, nasse Zunge ihre harten Knöpfe berührte, und er hörte, wie sie scharf die Luft einzog, als ein heißer Strahl der Erregung durch ihren Körper schoss.

»Schwester Julie, stell dich hinter Schwester Clarissa, und halt sie fest, so wie es mein Helfer bei der Erweckungsfeier tut.« Billy lehnte sich in seinem Stuhl zurück. Er hoffte, Julie würde ihre Freundin auch ohne seine Aufforderung streicheln und necken. Es wäre jedoch auch nicht schlimm, wenn er es ihr extra sagen müsste.

Julie trat gehorsam hinter Clarissa und tat genau das, was Billy sich erhofft hatte. Sie knetete Clarissas feste, kleine Brüste und sah den Reverend dabei unverwandt an. Er war überwältigt von der wilden Lust, die er in ihrem Blick erkannte. Beinahe wäre er auf der Stelle gekommen.

Aber er biss die Zähne zusammen und senkte den Kopf, als ob er betete. »Schwester Clarissa«, erklärte er mit gepresster Stimme, »du wirst vollkommene Errettung erfahren, wenn du genau das tust, was ich dir sage. Bekomme ich ein Amen?«

Clarissa antwortete ihm flüsternd, ohne die Augen zu öffnen. Bruder Washburn fuhr fort: »Heißt das, du wirst die Rituale auf dich nehmen, die von dir verlangt werden?«

Wieder antwortete Clarissa: »Amen, Bruder Billy.«

Ihre heisere Stimme brachte Billy schier um den Verstand. Er schob den Stuhl zurück, fasste unter ihre Beine und zog ihre Hüften zu sich heran. Am liebsten hätte er sie sofort genommen, so sehr bedrängte ihn sein Verlangen. Aber er beherrschte sich und schob den Rock des Mädchens über den glatten, weichen Bauch hoch. Als er den schmalen Streifen hellrosa Baumwollstoff über ihren geschwollenen Schamlippen sah und tief den süßen Duft einatmete, der ihn an frisch gemähtes Heu erinnerte, hielt er es beinahe nicht mehr aus. Mit einer Hand befreite er seinen erigierten Penis aus seinem engen Gefängnis und rieb ihn langsam, während er mit dem Finger über den Zwickel ihres Höschens strich. »Herr im Himmel, sie hat sich nass gemacht!«, hauchte er. Als er aufblickte, sah er, dass Julie immer noch an den Nippeln ihrer Freundin zupfte.

»Schwester Julie, bitte zieh deinen Rock, deine Bluse und deine Unterwäsche aus«, flüsterte Billy mit rauer Stimme, und wieder fuhr seine Hand zu seinem dicken Schaft. Das brauchte er Julie kein zweites Mal zu sagen. Sofort begann sie, für Bruder Washburn ihre Kleidung abzulegen.

Als sie ihre Bluse aufknöpfte, fuhr Billy mit der Hand in Clarissas Höschen und betastete ihre geschwollenen Schamlippen. Als er sah, dass Julie ihren Büstenhalter aufmachte und abnahm, begann er mit Clarissas Klitoris zu spielen. Sein Finger glitt mit kreisenden Bewegungen darum herum, und das Mädchen drängte sich verlangend seiner Hand entgegen. Da er fürchtete, sie würde kommen, noch bevor er in sie eindringen konnte, zog er ihr rasch das Höschen herunter, und sie lag fast nackt auf seinem Schreibtisch, bis auf den Rock, der um ihre Taille gewickelt war.

»Beug dich über Schwester Clarissa, Julie, und lass sie deine Brüste sehen. Sie muss lernen, dass es keine Sünde ist, das Fleisch ihrer Schwestern und Brüder zu betrachten, wie die meisten ihr sagen würden, sondern dass es im Gegenteil gottgefällig ist, es zu preisen und zu bewundern.«

Um Clarissa von ihrem bevorstehenden Orgasmus abzulenken, befahl Billy ihr, die Augen aufzumachen. Staunend blickte sie auf Julies prachtvolle Brüste, und ohne dass der Reverend sie dazu auffordern musste, öffnete sie den Mund und nahm einen der rosa Nippel zwischen ihre Lippen. Julie keuchte auf und warf Billy, der ihr ermunternd zulächelte, einen Blick zu. Er wandte sich wieder der Aufgabe zu, die vor ihm lag.

»Schwester Clarissa, bist du bereit?«, fragte er.

Clarissa stöhnte bestätigend, da sie Julies Nippel im Mund hatte und nichts sagen konnte. Billy stand auf und schob die Handflächen unter das Hinterteil des Mädchens, um sie so anzuheben, dass er mit seinem Mund an den süßen Pelz kam. Der Saft rann aus ihrer Spalte, und Billy leckte vorsichtig immer und immer wieder von ihrer Rosette bis zu ihrer pochenden Klitoris.

Julie wurde immer erregter. Jedes Mal, wenn Billy zart über Clarissas Möse leckte, saugte sie fester am Nippel ihrer Freundin, und Julie stöhnte laut auf.

Da Billy sich den Grund für ihre Erregung denken konnte, hob er kurz den Kopf und ermunterte sie: »Berühre dich selber, Schwester Julie.«

Sofort fuhr Julies Hand zwischen ihre Beine. Billy vergrub sein Gesicht wieder in Clarissas geschwollenem Geschlecht, und er konnte nicht sehen, wie Julie ihre Schamlippen auseinander zog und ihre Finger über ihre Knospe glitten, während sie den schmatzenden Geräuschen lauschte, die Bruder Washburn verursachte, als er die nasse Möse ihrer Freundin leckte. Und da er sich auf Clarissas Laute konzentrierte, um nicht den Moment zu verpassen, wo er in sie eindringen konnte, hörte er Julies leises Stöhnen nicht, als sie den Höhepunkt erreichte.

Bruder Washburns Zunge stieß auf das rote Herz von Clarissas Klitoris, und mit ein paar leichten Zungenschlägen brachte er die junge Frau an den Rand ihrer ersten Orgasmuserfahrung. Als Billy spürte, wie die ersten Zuckungen durch die junge Frau liefen, schob er den Kopf seines dicken, steifen Schwanzes in ihre enge Spalte und trieb ihn so weit hinein, bis sie ihn bis zu den Eiern aufgenommen hatte. Mit den Fingern der einen Hand streichelte er immer weiter Clarissas Klitoris, und mit der anderen Hand hielt er ihre Hüften an sich gedrückt. Julie hatte ihre sinnlichen Lippen auf den Mund der Freundin gelegt und küsste sie leidenschaftlich, sodass sie die Lustschreie des Mädchens förmlich aufsaugte.

Clarissa wühlte in Julies weichen, blonden Locken, während Billy langsam in sie hineinstieß. Schließlich kam sie zuckend zum Höhepunkt, und er spürte, wie sich ihre inneren Muskeln mit einer Kraft um seinen Schwanz legten, die ihn erstaunte und erregte. Die beiden Mädchen in einem heißen Kuss vereinigt zu sehen war mehr, als er ertragen konnte.

»Du bist so eng, Clarissa, so gut und eng«, keuchte er, während er seinen dunkelroten Schaft beobachtete, der in sie hineinpumpte. Sie war definitiv genauso scharf wie Julie, und er musste es jetzt unbedingt zu Ende bringen.

Bruder Washburn packte Clarissas Hintern mit beiden Händen und begann, heftig in ihre heiße Spalte hineinzustoßen, bis sein Schwanz schließlich tief in ihr explodierte und sein Sperma in ihrer Höhle abspritzte.

»Eine Taufe aus Feuer und Wasser, Schwester Clarissa!«, murmelte er, als er auf ihren Brüsten zusammensank, den Schwanz immer noch tief in der schlüpfrigen Höhle des Mädchens. »Lasst mich ein Amen hören!« Er kniff sie sanft in einen Nippel, und beide Mädchen sagten mit bebender Stimme ein Amen.

Langsam zog er seinen Schwanz aus Clarissas Möse. Der Kopf war beschmiert mit seinem eigenen Sperma und ihrem jungfräulichen Blut. Er nahm ein Taschentuch aus seiner Hemdtasche und wischte die verräterischen Spuren rasch ab, bevor sie sie sehen konnte und vielleicht Angst bekam. Als er ihren zarten Venushügel sanft abtupfte, begann er erneut, die Klitoris des Mädchens zu reizen. Sie lag mit weit gespreizten Beinen auf seinem Schreibtisch und stöhnte leise, als er das Zentrum ihrer Lust erneut weckte. Billy war hingerissen, wie schnell sie auf seine Berührung reagierte.

Er beugte sich darüber und begann die geschwollene Knospe zu lecken, wobei er auch seinen eigenen Samen auffing, der aus der Möse herauströpfelte. Ein neuer Höhepunkt nahte, und Julie drückte ihre Lippen wieder auf den Mund ihrer Freundin, damit man ihr lautes Stöhnen nicht hörte, als die Wellen des zweiten Orgasmus über ihr zusammenschlugen.

Danach entließ Billy die Freundinnen, jedoch nicht, ohne sie vorher zu ermahnen, niemandem zu verraten, was in seinem Büro geschehen war. Schweigend zogen sie sich an, und Billy überlegte, wie er es wohl anstellen konnte, sie beide zusammen wiederzusehen.

Als die Mädchen gingen, küsste Billy Clarissa leicht auf den Mund. Er tätschelte ihren Hintern und sagte: »Sag nichts deiner Mama, Schwester Clarissa. Erweckung ist äußerst privat, und du solltest die Angelegenheit für dich behalten. Erzähl auch deinen Freundinnen nichts davon. Wenn du es doch tust, werde ich leugnen, dich jemals gesehen zu haben, und die meisten Leute würden dich sowieso auslachen und dir nicht glauben.« Wieder küsste er sie, wobei er mit seiner Zunge rasch über die Innenseite ihrer Unterlippe fuhr. Clarissa erschauerte bei der erotischen Berührung, und Billy fuhr fort: »Wenn ihr wollt, könnt ihr beide heute Abend nach der Erweckung hinter die Bühne kommen, und ich werde euch privat im Fluss taufen.«

Clarissa antwortete: »Du hast doch Julie gestern Abend schon im Fluss getauft. Kann sie denn mehr als einmal getauft werden? Ich glaube nämlich, sie möchte gerne mitkommen.«

»Es ist ungewöhnlich«, antwortete er langsam und mit gespieltem Ernst, während er schon daran dachte, welch köstliche Möglichkeiten sich ihm mit beiden Mädchen boten. »Aber es ist durchaus nicht unüblich, und ich bin sicher, dass es gut funktionieren wird. Wartet am besten dort auf mich, wo ich gestern Abend mit dir war, Julie, und ich komme so schnell wie möglich dorthin. Und jetzt lauft, damit ich endlich meine Predigt schreiben kann, sonst werde ich mit diesem Erweckungsabend nie fertig!«

Reverend Washburn öffnete die Tür und schickte die beiden Mädchen in den milden Frühsommerabend hinaus. Als Julie an ihm vorbeiging, packte er sie am Arm und zog sie an sich. Sein Kuss war viel versprechend, und seine Hände glitten unter ihren Rock und streichelten die runden Hinterbacken und die weichen Härchen ihres Venushügels.

»Danke für dein Vertrauen, Schwester Julie«, flüsterte er ihr ins Ohr, während sie sich zitternd vor Verlangen an ihn schmiegte. »Das wirst du nicht bereuen, ich schwöre es dir!« Rasch schob er die Fingerspitze in ihre Nässe und ließ sie um die geschwollene Klitoris gleiten, bis sie vor Lust fast in Ohnmacht fiel.

»Ich brauche immer noch mehr Erweckung als Clarissa, meinst du nicht?« Sie blickte ihn flehend an und bog sich seiner streichelnden Hand entgegen.

»Ja«, erwiderte Bruder Washburn und knabberte an ihrem Ohrläppchen. »Du musst tatsächlich jeden Tag erweckt werden, Schwester Julie.« Seine Finger kitzelten ihr nasses Geschlecht, und am liebsten hätte er sie wieder in sein Büro zurückgezogen. »Oh, Süße, ja, ganz bestimmt. Und jetzt geh und lass mich meine Arbeit machen, sonst kann ich heute Abend nicht zu dir kommen.« Er küsste sie noch einmal, dann schloss er die Tür und setzte sich wieder an seinen Schreibtisch.

Sein Schwanz war schon wieder steif, als er die Bibel ergriff und versuchte, sich auf die Verse für seine Predigt zu konzentrieren. Er starrte auf die kleinen, schwarzen Buchstaben auf der Seite, sah sie jedoch nicht wirklich. Alles, was er sah, war der nackte Körper des Mädchens, das auf seinem Schreibtisch gelegen hatte, und erneut glitt seine Hand zu seinem Schritt. Er zog den Reißverschluss seiner Hose auf und rieb seinen harten Schaft. Die Worte trösteten ihn nur wenig, und je länger er dasaß, desto mehr sehnte er sich nach seiner eigenen Errettung.

ROWAN MICHAELS

Hündin für einen Abend

»Du willst also meine Hündin sein?«

Die Worte fluteten wie Nebelschwaden über mich hinweg. Ich lag auf dem Boden, zu deinen Füßen, beobachtete dich und erwartete nichts Ungewöhnliches. Verwirrt blickte ich auf und forschte nach irgendeinem Zeichen dafür, dass das ein Spiel war. Ich fand jedoch keins. Du meintest es todernst.

»Und?«, fragtest du ungeduldig. »Antworte mir, Schlampe.«

Ich konnte nur mit dem Kopf nicken, da mir die Worte fehlten.

»Komm her«, befahlst du streng.

Ich wollte aufstehen, um zu dir zu gehen, aber du brülltest sofort: »Auf den Boden!« Erschreckt zuckte ich zusammen.

»Hunde laufen nicht auf zwei Beinen. Du bist eine Hündin, also komm auch so hierher!«

Ich ließ mich auf Hände und Knie nieder und krabbelte so schnell ich konnte auf dich zu. Ich sah, wie du das Lederhalsband nahmst – das Hundehalsband aus schwarzem Leder mit den Metallnieten – und es in den Händen drehtest. Ich konnte mich noch gut an den Tag erinnern, als du es aussuchtest. Du hast mich gezwungen, ganz still dazustehen, als du mir in dem kleinen Tiergeschäft im

Einkaufszentrum ein Halsband nach dem anderen anpro-
biert hast, vor allen Leuten, bis du schließlich das Richtige für deine »heiße Hündin« gefunden hattest.

»Zieh dich aus«, befahlst du. »Hunde tragen keine
Kleidung.«

Ich beeilte mich, dir zu gehorchen, aber es machte mich
irgendwie verlegener als sonst, mich vor dir nackt auszuziehen. Als alle meine Kleider in einem Haufen auf dem
Boden lagen, winktest du mich zu dir.

»Für heute Nacht wirst du meine Hündin sein. Du
wirst nur das tun, was auch eine Hündin tun würde. Du
wirst nicht sprechen. Du wirst alle Bedürfnisse nur mit
den Augen oder durch Bellen ausdrücken. Wenn du
sprichst, wirst du bestraft. Wenn du etwas tust, was ein
Hund nicht tun würde, wirst du bestraft. Und ich meine
damit keine leichte oder spielerische Bestrafung. Es wird
dir nicht gefallen. Es wird schnell, fest und schmerzhaft
sein. Hast du mich verstanden?«

Die Angst stand in meinen Augen, als ich dich anblickte, aber in meiner Seele brannte ein verzweifeltes Verlangen, dir zu gefallen. Ich nickte.

»Lass mich deine Zustimmung hören. Es werden die
letzten Worte sein, die du sprichst, es sei denn, du äußerst
das Schutzwort, oder ich gebe dir deine Stimme zurück.
Hast du verstanden?«

»Ja, Sir«, stammelte ich und senkte den Kopf. Du
weißt, wie schwer es mir fällt, meine Zustimmung zu De-
mütigungen zu geben. Deshalb wolltest du sie ausdrück-
lich von mir hören. Ich konnte an nichts anderes denken
als daran, was Hunde tun, wie sie agieren, wie ich es
machen würde. Ich erwartete, dass du auf der Stelle mit

einer Szene beginnen würdest, aber es geschah nichts. Du setztest dich auf die Couch, nahmst dir die Zeitung und begannst zu lesen. Ich wusste nicht, was ich mit mir anfangen sollte. Zuerst setzte ich mich auf die Hacken und beobachtete dich, suchte nach irgendeinem Anzeichen dafür, dass du mir sagen würdest, was du von mir erwartest. Ich bekam jedoch nichts. Keinen Augenkontakt, kein Wort, nichts. Was machen Hunde, wenn sie Aufmerksamkeit wollen, fragte ich mich. Ich krabbelte zu deinen Beinen und rieb zögernd meine Wange daran. Ich wurde mit einem leichten Tätscheln auf den Kopf belohnt. Mehr nicht.

Du lasest aufmerksam in deiner Zeitung und kümmertest dich überhaupt nicht um mich. Ich rollte mich zu deinen Füßen zusammen und wartete. Und wartete. Und wartete.

Ich hatte kein Zeitgefühl, weil ich mit meinen Kleidern auch meine Uhr abgelegt hatte. Das Zimmer, in dem wir uns aufhielten, war das einzige im Haus ohne Uhr. Ich wusste nicht, wie viel Zeit verstrichen war, und es fiel mir sehr schwer, geduldig zu sein. Als ich schließlich glaubte, du würdest nie mehr von mir Notiz nehmen, begann ich leise zu winseln. Es war ein Laut voller Verlangen und Bedürfnis. Ich wusste gar nicht genau, was ich eigentlich wollte, aber es brachte mich um, so ignoriert zu werden. Du blicktest nicht von deiner Zeitung auf, murmeltest aber: »Was ist los, Mädchen?«

Ich wimmerte. Ich jaulte. Ich schubste hoffnungsvoll mit dem Kopf an dein Bein, um eine Reaktion von dir zu bekommen. Schließlich kletterte ich sogar auf deinen Schoß und versuchte, dir die Zeitung wegzunehmen. Die

Zunge hing mir aus dem Mund, und ich fragte mich, ob meine langen Fingernägel dir wohl Schmerzen bereiteten, aber ich konnte nicht aufhören, mich so zu benehmen.

Du lachtest leise und legtest die Zeitung beiseite. »Möchtest du spielen, Hündchen?«, fragtest du freundlich.

Ich blickte dich an und versuchte, dir mit all meiner hündischen Macht ein Ja zu vermitteln. Es schien mir gelungen zu sein, denn du standest auf und tratst an die Kommode. Erwartungsvoll blickte ich dich an, wobei ich im Geiste mit dem Schwanz wedelte. Du holtest einen Schal heraus und fragtest mich, ob wir damit »Ziehen« spielen wollten.

Ich spürte, wie die Vorfreude in meinen Augen erlosch, aber da ich meine Rolle voll ausspielen wollte, versuchte ich, zu dir hinzutapsen. Du hieltst mir ein Ende des Schals hin, und ich nahm es mit den Zähnen. Dann zogst du daran, und ich rutschte durch das ganze Zimmer, weil ich natürlich nicht annähernd so viel Kraft mit dem Mund hatte wie ein »normaler« Hund. Aber ich versuchte, so gut wie möglich mitzuspielen. Du sahst mich mit lachenden Augen an, aber ich gab nicht auf. Wir spielten ein paar Minuten lang, und schließlich hörtest du auf und blicktest mich an.

»Dieses Spiel wolltest du eigentlich nicht spielen, nicht wahr, Hündchen«, fragtest du mich neckend.

Ich versuchte, dich hoffnungsvoll anzublicken und stärker mit meinem unsichtbaren Schwanz zu wedeln. Du lachtest über meinen untauglichen Versuch und erklärtest mir, es würde viel besser aussehen, wenn ich tatsächlich einen Schwanz hätte, mit dem ich wedeln könnte. Ich erstarrte, da mir nur eine Methode einfiel, mit der ein Schwanz an mir befestigt werden konnte. Dazu musste doch bestimmt ein Stopfen in mein Arschloch eingeführt werden! Ich liebte zwar das Gefühl, wenn er erst einmal darin war, aber es erfüllte mich immer mit Entsetzen, wenn die Idee geäußert wurde.

Ich weiß nicht, ob es an dem körperlichen Unbehagen oder der tatsächlichen Erniedrigung lag, dass etwas in mich eingeführt wurde, aber ich spürte, wie sich die Röte auf meinem Gesicht ausbreitete.

»Komm her, Mädchen«, sagtest du.

Ich krabbelte zu dir und hockte mich zu deinen Füßen hin, wobei ich alles tat, um dir durch meine Körpersprache zu vermitteln, wie viel Angst ich vor der Vorstellung hatte, einen Schwanz zu bekommen. Aber es nützte nichts. Du hattest auf einmal einen Stopfen mit einem kurzen Schwanz daran in der Hand und befahlst mir, mich umzudrehen. Wimmernd gehorchte ich, reckte dir meinen nackten Arsch entgegen und versuchte verzweifelt, mich zu entspannen, damit es leichter ging und nicht so demütigend war. Aber es nützte natürlich alles nichts. Du lachtest nur, als du sahst, wie ich zitterte und winselte. Der einzige Trost in all dieser Qual war, dass du mir über die Flanken streicheltest, als du den Stopfen hineinschobst. Unerwartet schnell jedoch war er in mir, und ich spürte, wie die kurzen, feinen Härchen über meine Schenkel kitzelten. Trotz der Demütigung wollte ich damit spielen; ich wollte sehen, wie es war, danach zu jagen, den Schwanz auf meinem Hintern zu spüren und mit ihm zu wedeln. Aber mein Stolz hielt mich zurück.

Du schienst es zu spüren und befahlst mir, meinen

Schwanz zu jagen. Einen Augenblick lang bereitete es mir sogar ungetrübte Freude, und ich vergaß die Erniedrigung.

»Hündin!«, hörte ich dann jedoch. »Komm her, und lass diesen blöden Schwanz in Ruhe.«

Wieder errötete ich, als sei ich bei etwas Verbotenem ertappt worden, und lief zu dir. Ich stellte fest, dass du deine Hose aufgeknöpft hattest und deine Hände auf den Schenkeln lagen.

»Wenn du wirklich meine Hündin sein willst, dann befriedigst du mich jetzt mit dem Mund. Sofort!«, befahlst du, und deine Stimme klang gepresst vor Lust. Verwirrt blickte ich dich an, weil ich mich fragte, wie ich das tun und dabei trotzdem ein Hund bleiben sollte. Vorsichtig zog ich den Reißverschluss mit den Zähnen auf. Dann packte ich den Bund deiner Hose mit dem Mund und versuchte, sie dir herunterzuziehen. Du saßest auf dem Rand des Sofas und hobst leicht das Becken an, um mir ein wenig zu helfen. Es dauerte zwar eine Weile, aber schließlich hatte ich die Hose heruntergezogen. Glücklicherweise trugst du heute Boxershorts statt deiner üblichen knappen Unterhose. Ich sah, wie sich dein steifer Schwanz dagegendrückte, und zerrte etwas heftiger an den Boxern, damit es schneller ging.

Lächelnd beobachtetest du mein ungeduldiges Gezerre. Du wusstest, wie gerne ich deinen Schwanz in den Mund nahm. Mittlerweile konnte ich noch nicht einmal mehr in Worten denken; ich verlor sogar die Fähigkeit, zusammenhängende Gedanken zu bilden. Ich begehrte. Ich brauchte. Ich musste haben. Das waren die einzigen Gefühle, die mich antrieben und ermutigten. Schließlich hatte ich es geschafft. Ich hatte dich in meinem Mund, und deine Hände lagen auf meinem Kopf und drückten mich so fest wie noch nie an dich. Du benutztest mich, fülltest meinen Mund und meine Kehle mit deinem unerbittlichen Schwanz, und als ich langsamer wurde, um zu Atem zu kommen, hörte ich, wie du sagtest:

»So ist es gut. Du bist mein braves Mädchen. Nimm ihn! Nimm ihn ganz auf. Na los, Hündin, lutsch mir den Schwanz.« Du wiederholtest es fast wie ein Mantra, grunzend und rau, mit keuchendem Atem.

Ich weiß nicht, wie lange es so ging. Ich verlor das Gefühl für Zeit und Raum und wusste nicht einmal mehr, wer ich war. Überraschung überwältigte mich, als du dich schließlich aus meinem hungrigen Mund zurückzogst und mich auf den Arsch schlugst, sodass mein Schwanz zuckte und der Stopfen sich in mir bewegte. Deine Augen waren blicklos vor Leidenschaft, und ich wusste, ich würde alles, alles tun, um dich zu befriedigen. Ich wollte es so sehr. Ich wollte, dass du kommst. Ich wollte, dass du einen Orgasmus wie niemals zuvor erreichst, indem du mich als Instrument benutztest. Ich wollte dich spüren und ganz von dir eingehüllt sein.

Ich wurde herumgerissen, sodass ich dir den Rücken zuwandte, und du packtest dein Glied. Du drangst nicht vorsichtig in mich ein, nein, du rammtest deinen Schwanz fest und schnell in mich. Immer und immer wieder. Du nahmst mich brutal, aber ich war bereit dafür. Du ficktest mich und wiederholtest dabei immer wieder das Wort »Hündin«. Ich stöhnte und wimmerte, weil ich die Laute, die aus mir herausdrängten, nicht zurückhalten konnte. Deine

Hände umklammerten meine Hüften so fest, dass ich die ganze nächste Woche bestimmt blaue Flecken haben würde. Wieder und wieder fuhr dein harter Schwanz in mich hinein.

Wir liebten uns nicht, wir hatten keinen Sex. Das war einfach nur ein Fick. Du benutztest mich als Hülle für deinen Schwanz.

Ich wusste nicht mehr, wie oft ich gekommen war. Ich wusste nicht, wann ein Orgasmus aufhörte und der nächste begann. Ich wusste überhaupt nichts, nur dass ich ein Heulen von mir gab, in dem ich meine eigene Stimme nicht wiedererkannte. Keuchend und erschauernd kamst du zum Höhepunkt, ich spürte, wie du dich dem Orgasmus hingabst. Ich konnte es kaum glauben, dass du es so lange ausgehalten hattest, aber es war tatsächlich so. Du kamst nur einmal, aber ich hatte das Gefühl, die Welt bliebe stehen.

Du ließest mich deinen harten Schwanz mit der Zunge sauber lecken, und dann musste ich auch deinen übrigen Körper ablecken. Du zogst mich an dich und krautest meinen schweißnassen Pelz.

»So ein braves Mädchen«, flüstertest du. »Das ist meine gute, kleine Hündin.«

Und das reichte mir. Mehr brauchte ich nicht.

WENDY HARRIS

Alles kommt wieder

Es war das Lächerlichste, was ihr in ihrem ganzen Leben passiert war, dachte Penny. Und wenn es ihr nicht so peinlich gewesen wäre, hätte sie wahrscheinlich darüber gelacht. So jedoch war sie sich des humorvollen Aspekts nur am Rande bewusst, da sie alle Hände voll damit zu tun hatte, den Rock, den der Wind ihr über den Kopf geblasen hatte, wieder über ihr Höschen zu ziehen.

Und dass sie hier halb in und halb aus ihrem Küchenfenster ragte, daran war nur ihr Nachbar, Oliver Roland, schuld, der ihr an jenem Morgen auf dem Weg zur Arbeit aufgelauert hatte.

Dass er ihr ihre Zickzackschere ausgerechnet um halb neun morgens zurückgeben musste – obwohl er doch wusste, dass sie zu spät zur Arbeit kommen würde –, war ihr in diesem Moment noch nicht einmal seltsam vorgekommen. Aber jetzt. Und überhaupt, wozu hatte er das Gerät eigentlich gebraucht?

Sie war wütend. Wenn er sie nicht aufgehalten hätte, hätte sie ihren Hausschlüssel auch nicht auf dem Tisch in der Diele liegen lassen. Wie war er bloß auf die Idee gekommen, dass sie so dringend ihre Schere wiederhaben wollte, dass sie dafür ihren Job aufs Spiel setzte?

Sie hätte ihm den Kopf abreißen sollen dafür, dass er ihr den Tag verdorben hatte. Warum hatte sie das eigentlich nicht getan? Vielleicht hatte ja sein charmantes Lächeln sie handlungsunfähig gemacht. Sie hatte noch gedacht, wie attraktiv er für einen Mann seines Alters aussah, trotz der Falten und der grauen Schläfen. Am meisten überrascht hatte sie sein Körper, der gebräunt und von der vielen Gartenarbeit so gut in Form war, dass ein um die Hälfte jüngerer Mann ihn darum beneidet hätte.

Warum wohl ging er nicht arbeiten? Er war viel zu jung, um schon pensioniert zu sein, und wer auch nur einen Funken Verstand besaß, konnte doch unmöglich den ganzen Tag zu Hause herumhängen und darauf warten, dass ein solches Luder wie Louise nach Hause käme. Penny hasste Louise Roland: Sie war gertenschlank, hatte einen hochbezahlten Job im Management und war überaus arrogant. Sie war der Typ Frau, der sich lieber eine Darmspülung machen ließ, als sich auf ein öffentliches Klo zu setzen. Sie hasste Louise' große, schwarze Augen und die hochmütige Verachtung, mit der sie Penny anschaute, als sähe sie ein Stück Hundescheiße auf ihrem sorgfältig manikürten Rasen. Vor allem, seit Penny sich von ihrem Mann Billy getrennt hatte, hatte Louise ihr die kalte Schulter gezeigt.

Eigentlich war es Billys Schuld, dass Penny sich ausgesperrt hatte. Wenn er nicht plötzlich auf die Idee gekommen wäre, dass er doch mal wieder mit seiner Ex-Frau schlafen könnte, hätte sie die Schlösser nicht austauschen müssen, und ihr Haustürschlüssel hinge immer noch mit den anderen Schlüsseln am großen Schlüsselbund.

Billy war auch schuld, dass der Riegel am Küchenfenster nie richtig funktioniert hatte. Gott, hatte sie ihm damit in den Ohren gelegen. Aber Billy hatte ja immer schon lieber an anderen Frauen als an Reparaturen herumgeschraubt, was ja letztendlich auch zum Ende ihrer Ehe geführt hatte.

Penny überlegte, wie spät es wohl wäre und ob sie jemals gerettet werden würde. Sie war sich ganz sicher, dass Oliver gesagt hatte, er wolle ihr heute Nachmittag den Rasenmäher zurückbringen. Aber war er vielleicht schon da gewesen? Sie versuchte, den Kopf zu heben, konnte jedoch nur ihren Rock erkennen, der sich im Wind bauschte.

Na, zumindest war die Sonne herausgekommen, und ihr Arsch wurde wärmer. Eigentlich fühlte sich die Brise sogar ganz prickelnd an. Sie ließ den Kopf auf die Spüle sinken. Es hatte keinen Zweck, noch einmal um Hilfe zu schreien. Louise war nicht da, und ihre andere Nachbarin, Ethel, war stocktaub. Ihre Hoffnung richtete sich einzig und allein auf Oliver, der früher oder später vorbeikommen musste, um sich etwas zu leihen oder etwas zurückzubringen. Ihr war klar, dass seine Besuche immer nur ein Vorwand waren, um sie zu sehen. Es war schon lange offensichtlich, dass er hinter ihr her war, das sah sie an seinen lüsternen Blicken. Aber sie hatte immer nur ein wenig mit ihm geflirtet und ihn nie ermutigt. Er war schließlich ein verheirateter Mann, und obwohl seine Frau eine blöde Kuh war, die es durchaus verdient hätte, ihn zu verlieren, hatte Penny schon so oft in ihrem Leben von verbotenen Früchten genascht, dass sie lieber die Finger davon ließ.

Allerdings musste sie zugeben, dass sie einmal in Versuchung geraten war, als er in den Garten gekommen war, um sich einen Eimer zu borgen. Sie hatte ihn ganz unschuldig gefragt, ob er ihr den Rücken einreiben wolle, und sie erinnerte sich noch gut daran, wie stark und rau seine Hände gewesen waren. Als er an die Haut unter ihren Achseln gekommen war, waren ihre Nippel ganz hart geworden. Und dann waren seine Finger am Bund ihres Bikinihöschens vorbeigeglitten. Er hatte aufgekeucht, und wenn sie sich umgedreht hätte, hätte er sie wahrscheinlich auf der Stelle gefickt. Aber gerade als sie der Versuchung hatte nachgeben wollen, hatte Louise mit ihrer vornehmen Stimme über den Zaun gerufen: »Liebling, bist du da?«, und Oliver war eilig zu seiner Schlange zurückgekehrt, vermutlich mächtig erleichtert darüber, dass der Zaun höher war als sie.

Penny grinste in sich hinein, als sie versuchte, sich Louise' Gesicht vorzustellen, wenn sie ihren Mann bei der »Nachbarschaftshilfe« mit der »fetten Schlampe von nebenan« erwischt hätte. Wahrscheinlich wären ihr die schwarzen Knopfaugen aus dem Kopf gefallen, und ihre dünnen Lippen hätten sich wie eine Rosette zusammengezogen.

Penny verzog finster das Gesicht. Fette Schlampe! Wie konnte es die Frau wagen, sich darüber lustig zu machen, dass sie ein bisschen übergewichtig war? Sie hatte zumindest Fleisch auf den Knochen, was man von der klapprigen Vogelscheuche nicht behaupten konnte. Selbst Billy, der jedem Rock hinterherrannte, hatte sie nur einmal angepackt.

Penny kicherte, als sie an Rolands Silvesterparty dachte, bei der Billy volltrunken auf Louise gesprungen war, während sie alle »Auld Lang Syne« sangen. Ihr Rock war hinten aufgeplatzt, als sie zu Boden fielen, und alle Gäste hatten entgeistert auf ihr glänzendes Satin-Hemdhöschen gestarrt. Zu allem Überfluss hatte Billy dann auch noch

Bier auf ihren Teppich erbrochen. Das war ihr recht geschehen, dachte Penny. Hemdhöschen, du liebe Güte! Auf welchem Planeten lebte die Frau?

Penny trommelte mit den Fingern auf ihre Edelstahlspüle. Sie verpasste *Neighbours*, und außerdem bekam sie langsam Krämpfe in den Beinen. Vielleicht sollte sie ja mal wieder um Hilfe rufen. Sie öffnete den Mund, klappte ihn jedoch gleich wieder zu, als sie das Knirschen eines alten Rasenmähers hörte, der über den Kiesweg geschoben wurde.

Während Oliver damit kämpfte, das Gartengerät durch ihr quietschendes Gartentor zu bugsieren, wurde Penny sich auf einmal ihrer misslichen Lage bewusst. Verlegene Röte breitete sich auf allen vier Backen aus.

»Du steckst fest«, sagte Oliver, als er um die Ecke bog und sie erblickte.

Es war unvermeidlich, dass er in Lachen ausbrach, und Penny ließ ihm seinen Heiterkeitsausbruch, bevor sie ihn um Hilfe bat. Er gluckste immer noch, als der Wind erneut ihren Rock hochhob. Da schwieg er plötzlich.

»Oliver?«, fragte sie. Vermutlich hatte ihn der Anblick ihres dünnen, weißen Höschens verstummen lassen.

Er krächzte etwas zur Begrüßung.

»Das Fenster klemmt«, erklärte sie. »Könntest du mir vielleicht helfen?«

»Ich schiebe dich durch«, erwiderte er heiser.

Bevor sie ihn darauf hinweisen konnte, dass es vielleicht eine bessere Idee sei, das Fenster hochzuschieben, glitten seine Hände schon an ihren Schenkeln entlang. Sie waren heiß und feucht, und sie verkrampfte sich, als er ihre Hüften anfasste.

»Könntest du bitte meinen Rock wieder über meinen Hintern ziehen?«, bat sie ihn. Aber er tat so, als hörte er sie nicht, und begann ihre Arschbacken zu kneten.

Das wird nicht funktionieren, dachte sie, hütete sich jedoch, etwas zu sagen. Man sollte Männern in solchen Situationen immer die Führung überlassen, und außerdem gefiel es ihr, seine Hände an ihrem Arsch zu spüren. Wenn er den ganzen Abend dafür bräuchte, dann wäre es eben so.

Er spielte jetzt mit ihren Arschbacken, als wären sie aus Knetgummi, und sie merkte an seinen raschen Atemzügen, dass ihm die nachgiebige Weichheit gut gefiel. Louise fühlte sich wahrscheinlich völlig anders an.

Als sein halbherziger Versuch, sie durch das Fenster zu schieben, scheiterte, steckte er seinen Kopf zwischen ihre Beine und versuchte es so. Er probierte so lange die richtige Stellung aus, bis sich ihre Schamlippen an seinem Kopf rieben.

Als sie seine Bartstoppeln an der Haut spürte, wusste Penny, dass es an der Zeit war zu protestieren. Das war offenkundige Belästigung, und wenn sie nicht bald etwas sagte, würde er ihr Schweigen als Zustimmung deuten.

Aber sie bekam kein Wort heraus. Es war schwer, einen klaren Gedanken zu fassen, solange sie seine großen, schwieligen Hände auf ihrer Haut spürte und ihr Zwickel in ihrem Schritt so eingeklemmt war, dass die Spitze gegen ihre Klit rieb. Und was war außerdem schon dabei, wenn er sie mal ein bisschen anfasste? Er hatte schließlich ihren Zaun repariert, da war sie ihm das doch schuldig, oder?

Von ihrem Schweigen ermuntert, hörte er auf, so zu

tun, als wollte er ihr helfen, und streichelte über ihre seidenglatten Rundungen. Anbetend ließ er seine Hände über ihre Beine gleiten.

Penny stockte der Atem, als sie sich ihrem Schritt näherten, und sie keuchte auf, als sie über ihren Venushügel fuhren. Das war nun wirklich zu kühn. Zu frech. Sie musste dafür sorgen, dass er aufhörte. Aber bevor sie etwas sagen konnte, waren seine Hände schon weitergeglitten.

Sie streichelten die Rückseiten ihrer Schenkel, und sie zitterte vor Angst und Erregung. Sie war ihm wehrlos ausgeliefert. Selbst wenn er... Penny spürte, wie sich Feuchtigkeit in ihrer Möse sammelte, aber gleichzeitig verspürte sie auch einen stechenden Schmerz, weil ihre geschwollenen Schamlippen von ihrem zusammengerollten Höschen langsam, aber sicher abgeschnürt wurden.

»Mein Höschen schneidet ein«, sagte sie und erwartete, naiv wie sie war, dass er es lockerte. Aber Oliver grunzte nur wie ein Schwein, zerrte es über ihren Hintern und die Beine herunter. Als es um ihre Knöchel hing, riss er es ungeduldig herunter und warf es einem grinsenden Gartenzwerg über den Kopf. Dann kniete er sich hin und griff nach ihren Knien. Ein überraschtes »Oh« entrang sich ihr, als er sich ihre Beine über die Schultern legte. Er keuchte mittlerweile so heftig, dass sein heißer Atem ihren Busch anwärmte, als er sein Gesicht in ihrem Pelz vergrub.

Als sie spürte, wie seine Zunge zu ihrer Klitoris glitt, bog Penny sich ihm stöhnend entgegen. Sie war im höchsten Maße erregt, aber auch wütend. Dieser dreckige Bastard nahm sich Freiheiten bei ihr heraus und nutzte ihre

Notlage schamlos aus. Und sie konnte nichts dagegen unternehmen. Sie war so hilflos wie eine aufblasbare Puppe, während er mit ihr machen konnte, was er wollte.

Sekunden später jedoch fragte sie sich, warum sie eigentlich so wütend war, da eine Welle purer Lust durch sie hindurchfuhr. Plötzlich schrien auch ihre geschwollenen Brüste nach Aufmerksamkeit, und sie packte sich durch den dünnen Stoff ihres Kleides selber so grob an wie die Männerhände, die sich an ihren Schenkeln zu schaffen machten.

Sie stand kurz vor dem Höhepunkt, als Olivers Zunge auf einmal ihre Arbeit einstellte. Sie wimmerte frustriert auf und bat ihn weiterzumachen, aber er lachte nur und stellte ihre Füße wieder auf den Boden.

»Dreckige Schlampe«, murmelte er, als er merkte, dass sie sich die Brüste streichelte. »Hol sie raus, ich will sie sehen!«

»Das habe ich schon versucht«, erwiderte sie, »aber ich komme nicht an den Reißverschluss.«

Seine Hand glitt wie ein Messer zwischen ihre Beine und tauchte tief in die nassen Falten ihres Geschlechts. »Das willst du doch, oder?«, sagte er mit rauer Stimme.

»Ja, ja«, keuchte sie erregt.

»Oder lieber das?« Die Alternative, ein schmerzhafter Schlag auf ihren Arsch, entlockte ihr ein empörtes Aufjaulen. »Du kannst es dir aussuchen«, erklärte er grausam. »Und jetzt zieh endlich das verdammte Ding aus. Wie du es machst, ist mir egal.«

Die Kombination aus ihren brennenden Backen und seinen fordernden Fingern, aus ihrer Hilflosigkeit und seiner Macht, ließ sie hektisch gehorchen. Die Zickzackschere, die sie auf die Spüle gelegt hatte, fiel ihr ins Auge, und sie griff danach.

Oliver drückte sein Gesicht an die Scheibe, um sie zu beobachten, und sie zerschnitt ihr Kleid, sodass ihre Brüste auf den kalten, rostfreien Stahl der Spüle baumelten.

In der Zwischenzeit hatte Oliver seinen Schwanz ebenfalls aus dem engen Gefängnis seiner Hose befreit und schob ihn zwischen ihre Beine. Sie spreizte die Beine, um ihm das Eindringen zu erleichtern, aber da schlug er sie erneut, damit sie sich selber leckte und streichelte.

Er stöhnte, als er sah, wie sie an ihren Nippeln saugte. Gewaltsam stieß er seinen Schwanz in sie hinein, und Penny erschauerte vor Lust, als sich ihre Nässe um ihn schloss.

Jetzt lag die Macht wieder bei ihr, und sie drückte seinen heißen Schaft mit aller Kraft, was ihm atemlose Stöhnlaute entlockte. Je härter er in sie hineinstieß, desto fester packte sie ihn.

»Du bist so eng«, wimmerte er hilflos. »Oh, Scheiße. Ich komme.«

Als sich sein Schwanz zuckend entleerte, öffnete Penny die Schleusen ihrer eigenen Erlösung, und ihr Orgasmus vereinte sich mit seiner Klimax.

Und dann war es vorbei, und Penny wurde sich auf einmal ihres bloßen Hinterteils und ihrer tropfenden Möse bewusst. Sie schämte sich plötzlich und flehte ihn an, sie aus ihrer misslichen Lage zu befreien. Mit seinen großen Händen schob er den Fensterrahmen mit Leichtigkeit hoch, und sie krabbelte rasch hindurch und kletterte über die Spüle.

Ihre Wangen brannten vor Scham und Empörung, und

sie raffte hastig ihre Kleider zusammen, um sich zu bede-
cken. Verlegen blickten sie einander an und wussten nicht
so recht, was sie sagen sollten.

Oliver blickte sich um. Als er den Gartenzwerg erblickte, der Zeuge ihres Aktes geworden war, nahm er
ihm das Höschen vom Kopf und fragte sachlich: »Hast
du etwas dagegen, wenn ich mir den Zwerg ausleihe?«

»Nein«, erwiderte sie und dachte dabei, wie klein die
Figur in seiner großen Hand aussah, der Hand, die sie
eben noch kräftig auf den Hintern geschlagen und so
zärtlich gestreichelt hatte. »Vorausgesetzt«, fügte sie hinzu, »du versprichst mir, ihn zurückzubringen.«

Lusterprobt

Er war sturzbetrunken und schwankte durch die Dunkelheit wie ein Segelschiff. Das war wirklich ein passender Vergleich, dachte er erfreut. Es lag eine seltsame Perfektion in diesem Zustand, den er mit einer ganzen Flasche Brandy bei seinem einsamen Abendessen erreicht hatte.

Er verzog seine aristokratischen Lippen zu einem Lächeln und legte den Kopf in den Nacken, um zum sternenübersäten Himmel hinaufzublicken. Dabei verlor er fast das Gleichgewicht und wäre beinahe von seinem geduldig dahintrottenden Pferd gefallen. Er hielt sich am Sattelknauf fest und richtete sich wieder auf. Es wäre peinlich gewesen und vor allem verdammt unelegant, wenn er gestürzt wäre. Entschlossen straffte er die breiten Schultern und trieb seine Stute an. Sein Atem roch nach Brandy, stellte er fest, als er einen Seufzer ausstieß. Er war betrunken. Aber nicht so betrunken, dass er nicht mehr wusste, was er tat. Oder warum er es tat. Und für wen.

Für den Zigeuner.

Wenn er nur an die olivfarbene Haut und die geschmeidigen Muskeln dachte, wurde seine Männlichkeit hart, sein Blut rauschte, und der Brandy schien auf einmal ein schwächeres Gift zu sein als der Geruch nach Schweiß und das raue Lachen, das ihn bis in seine Träume hinein verfolgte.

Lord William James Aston Brodie hatte allen Sinn für Schicklichkeit verloren und lief einem Zigeuner hinterher. Er bezahlte sogar für das Privileg. Du lieber Himmel, wie die Klatschtanten sich in London das Maul zerreißen würden, wenn sie es wüssten! Sie würden lachen und ihm bei seinem nächsten Besuch die Tür vor der Nase zuschlagen. Schlimm genug, dass er einer Person hinterherlief, die niedriger war als jeder Dienstbote, aber dass es auch noch ein Mann sein musste!

Aber wie sehr er sich auch einen Dummkopf schalt, in kaltem Wasser badete und das mehr als willige Zimmermädchen fickte, er fand sich immer wieder auf diesem Weg. Und dabei war es erst eine Woche her, dass er sich geschworen hatte, nie wieder hier entlangzureiten.

Vor einem Jahr hatten die Zigeuner um die Erlaubnis gebeten, auf seinem Land lagern zu dürfen, und sie hatten ihm einen schlanken Boten geschickt, mit kastanienbraunen Locken, die im Kerzenschein wie Honig glänzten, einem Lächeln, das ihm Lustschauer durch die Lenden jagte, und einer vollkommenen Missachtung von Position, Titel und Status ihres Gastgebers.

Sein Geld war allerdings von Anfang an willkommen gewesen. Wütend über die Arroganz des Bettlers und über die Maßen erregt von dem klaren, festen Blick und dem geschmeidigen, halbnackten Körper, hatte Brodie noch in derselben Stunde den Zigeuner auf seinem Schreibtisch genommen. Sein Verlangen war so heftig gewesen, dass er sich noch nicht einmal entkleidet hatte.

In jenem Sommer waren die Zigeuner einen Monat lang geblieben, und in Brodies Erinnerung bestand diese Zeit nur aus Freude und Lust. Dann jedoch hatten sie sich eines Nachts ohne ein Wort davongemacht, und er hatte lediglich ein Zweiglein Rosmarin unter seinem Kopfkissen gefunden. Seine Dienstboten verstanden nicht, warum ihr Herr in den darauf folgenden Monaten so schlecht gelaunt war, wenngleich einige sicher ahnten, woran es lag.

Den ganzen Winter über hatte Brodie zu seinem eigenen Entsetzen viel zu oft an den Zigeuner gedacht, und alles in seiner Welt war ihm auf einmal zu hochgezüchtet, zu gezwungen und zu künstlich vorgekommen. Er ging zu Empfängen und auf Bälle, tanzte und spielte zu viel, erwarb sich den Ruf, geheimnisvoll zu sein, und langweilte sich zu Tode. Als der Frühling nahte, begab er sich nach Hause und wartete.

Vor über vierzehn Tagen war der Kerl schließlich zu ihm gekommen, und schon ein paar Minuten später hatte Brodie ihn auf die Knie gezwungen, ihm seine Männlichkeit in den Mund gestoßen, mit den Händen in die schweißnassen Locken gegriffen und stumm aufgeheult, als er gekommen war. Eine ganze Woche mit ihm hatte er sich gegönnt, und dann war er wieder nüchtern geworden und hatte sich acht Tage und sieben Nächte von dem Zigeuner fern gehalten.

Auch heute hatte er sich eigentlich nicht betrinken wollen. Er hatte gar nicht hier sein wollen, aber das eine hatte unweigerlich zum anderen geführt. Noch nie in seinem Leben war er so willenlos einem Verlangen gefolgt, und in die Lust, die er verspürte, mischte sich Wut auf die eigene Person und auf den Zigeuner.

Aber bei Gott, er ließ sich wunderbar ficken. Brodie setzte sich im Sattel zurecht, wobei er sich wünschte, dass seine Reithose weiter geschnitten wäre.

Heute Abend war das letzte Mal. Es musste sein. Er – ein Lord des Königreichs – konnte unmöglich in einem Zigeunerlager aufkreuzen, um seine Lust zu befriedigen. Es war undenkbar.

Vielleicht würde ihn ja ein letzter Besuch von diesem Wahnsinn heilen, der seine Gedanken zu jeder Tages- und Nachtzeit beherrschte. Er schlief ja noch nicht einmal mehr.

In diesem Augenblick wieherte Bess leise, und Brodie richtete sich wachsam auf. Seine soldatisch strenge Ausbildung war stärker als jede Trunkenheit, vor allem in Momenten der Gefahr. Gerade bedauerte er, keine Waffe mitgenommen zu haben, als er die Gestalt, die sich im Mondlicht hell gegen die Bäume abhob, erkannte. Brodie lief ein Schauer über den Rücken.

Der Zigeuner wartete auf ihn, und sein weißes Hemd schimmerte in der Dunkelheit. Grinsend trieb Brodie sein Pferd an.

Dann stand er vor dem Mann. »Doyle.« Das war der einzige Name, den der Zigeuner jemals angegeben hatte. »Hast du auf mich gewartet?«

»Ich habe auf niemanden gewartet, aber ich habe die Stute gehört, deshalb bin ich stehen geblieben.«

Mit seinen langen Fingern streichelte er über Bess' Nase. Sie schnaubte leise und drückte den Kopf an seine Schulter. Die Züge des Zigeuners wurden weich.

Brodie betrachtete das fein geschnittene Gesicht des Mannes mit den hohen Wangenknochen und den schräg gestellten Augen, die ihn kaum wahrzunehmen schienen. Am liebsten hätte Brodie in die langen, zerzausten Locken gegriffen und sie durch die Finger gezogen. Unbewusst musste er wohl die Knie zusammengepresst haben, denn sein Pferd machte einen Satz vorwärts.

»Los, komm schon. Ich bin nicht hierher geritten, um zu reden.«

»Nein, ganz sicher nicht.«

Brodie überhörte die leise Bitterkeit, die in dieser Erwiderung mitschwang. »Geh los, ich folge dir.« In ein paar Minuten würden sie in einem der Zigeunerwagen liegen, und das brennende Verlangen, das ihm die Ruhe raubte, würde gestillt werden. Vielleicht würde er ihn ja mehr als einmal oder zweimal nehmen.

»Nein.«

»Was?« Brodie blinzelte ungläubig. Seine Stimme klang gereizt. »Willst du mich abweisen?«

Die vollen Lippen des Zigeuners verzogen sich zu einem Lächeln, das Brodie ganz schwach werden ließ. »Als ob ich das könnte, Euer Lordschaft.« Eine ironische Verbeugung begleitete die Worte. »Nein, ich weise Euch nicht ab. Ich dachte nur, wir könnten zur Scheune gehen.«

Also Stroh statt fadenscheiniger Baumwolle. Na ja, es würde schon gehen. Eigentlich war es ganz egal, wo es stattfand, wenn es nur endlich geschah. Zur Scheune war es nicht mehr weit.

Brodie holte tief Luft und fuhr sich mit der Hand durch die kurz geschnittenen Haare. »Ja, in Ordnung. Lauf weiter.«

»Wenn Ihr mich hinten aufsitzen lasst, geht es schneller.«

Zögernd nickte Brodie. Er reichte dem anderen Mann die Hand, und der geschmeidige Körper schwang sich mühelos hinter ihm auf das Pferd. Er schlang die Arme um ihn, und sein nach Pfefferminz riechender Atem kitzelte Brodie am Hals. Leise lachend drückte der Zigeuner sich an seinen Rücken.

»Ihr könnt mich auf dem Pferd nehmen, wenn Ihr wollt.« Eine Hand schlich sich von hinten um seine Lenden. »Oder ich besorge es Euch so.« Finger fanden eine Lücke in seiner Weste, schlüpften an den Knöpfen seines Leinenhemdes vorbei und kniffen in einen Nippel. Bess tänzelte unruhig, und der Zigeuner lachte rau auf, ehe er die Hand wieder zurückzog.

Das heisere Lachen jagte Brodie einen Schauer über den Rücken, und er brachte die Stute zum Stehen.

»Nein«, stieß er hervor. »Nein, nicht hier. Ich will…«

Ein warmer Mund war dicht an seinem Ohr. »Mich ficken. Ich weiß.« Der Zigeuner stieß dem Pferd die Absätze seiner Stiefel in die Flanken, und es trabte wiehernd an, als ob ihm die doppelte Last nichts ausmachte.

Brodie, der völlig aus dem Gleichgewicht geraten war, nahm die Zügel wieder auf und lenkte das Pferd in Richtung Scheune. Drinnen war es bestimmt stockdunkel, aber das spielte eigentlich keine Rolle. Er konnte sich den nackten Körper des Zigeuners sogar im Schlaf vorstellen. Wenn er ihn berühren konnte, würde er ihn so deutlich vor sich sehen wie am helllichten Tag. Schon jetzt brannte seine Haut, wo sich der andere Mann beim Reiten an ihn drückte, und er war eisenhart in seinen Breeches. Zum Glück dämpfte die unbequeme, enge Hose seine Leidenschaft ein wenig, aber bei Gott, der Zigeuner hatte ihn wahrhaftig fest im Griff.

Der Gedanke verärgerte ihn, und als er unwillkürlich die Zügel fester packte, warf die Stute den Kopf.

»Wenn Ihr wollt, könnt Ihr mir die Zügel geben.« Die Stimme des Zigeuners klang amüsiert.

»Ich schaffe das schon alleine.«

»Da bin ich mir absolut sicher, Euer Lordschaft…«

»Ich wünschte, du würdest mich nicht so nennen!«

»Aber so nennen meinesgleichen Euch doch, nicht wahr? Oder wäre es Euch lieber, ich würde mich vor Euch verneigen und Euch mit Herr anreden?«

Gekränkt erwiderte der Lord: »Nenn mich einfach Brodie.« Er spürte, wie der andere an seiner Schulter lediglich nickte, und das Schweigen machte ihn noch wütender.

An der Scheune zügelte er die Stute, und noch ehe er etwas sagen konnte, war der Zigeuner zu Boden geglitten. Brodie stieg langsam ab und hörte, wie die Tür geöffnet wurde, während er noch das Pferd versorgte. Dann folgte er dem anderen Mann in die Scheune, und als er eintrat, flackerte gerade eine Kerze auf.

Brodie sah Doyle in der Dunkelheit auf dem mit Stroh bedeckten Boden knien und eine weitere Kerze an der ersten entzünden. Er hatte die Hemdsärmel hochgeschoben, und auf seinen sehnigen Unterarmen spielten die Muskeln. Die Locken, die ihm bis auf die Schultern fielen, schimmerten golden im Kerzenschein. Er erhob sich geschmeidig und knöpfte sein Hemd auf. Als er bemerkte, dass Brodie ihn beobachtete, hielt er inne.

»Ist es hier zu unbequem für Euch?«

Brodie schüttelte den Kopf. »Nein. In Spanien habe ich in schlimmeren Unterkünften geschlafen.«

Die Scheune war hoch und sauber, und es roch nach Ernte und Heu, altem Holz und Sommer. Es hatte schon

Nächte gegeben, da hätte er sich ein so schönes, trockenes Quartier gewünscht.

»Wen hast du als Soldat gefickt: die einheimischen Frauen oder die Männer?« Der Zigeuner trat auf ihn zu. »Oder warst du mit einem deiner Waffenbrüder befreundet?« Er schlüpfte aus seinem Hemd und warf es zu Boden. Sein Körper war so schlank wie der eines Jugendlichen, aber er hatte die breiten Schultern eines Mannes. Dunkle Haare bedeckten seine Brust.

»Ich habe in die rechte Hand gefickt und außerdem mit jeder verheirateten Frau geschlafen, deren Ehemann sich Hörner aufsetzen ließ«, erwiderte Brodie gedehnt. Sein Körper reagierte bereits auf die Nähe des anderen Mannes.

»Nicht mit Männern?«

»Nein.«

»Aber ich war nicht dein Erster.«

»Nein.« Brodie betrachtete ihn, den flachen Bauch, den gewölbten Brustkorb mit den dunklen Nippeln, in die er am liebsten sofort hineingebissen hätte.

»Soll ich mich ausziehen?«

Brodie nickte. Dann beantwortete er die unausgesprochene Frage. »Mein Erster war ein Stallbursche. Er war jünger als ich, und durch ihn habe ich Geschmack daran gefunden. Seitdem gab es noch ein paar.«

»Ein paar?«

»Nun ja, vielleicht mehr.« Er lächelte leise. »Und du?« Eine Pause. »Mein Onkel.«

Brodie stieß einen Pfiff aus. »Damit es in der Familie bleibt.«

»Ja.« Die schlanken Finger öffneten die Gürtelschnalle.

»Hat es dir gefallen?«

Wieder ein leichtes Zögern. »Was für eine dumme Frage. Warum sollte ich es sonst mit dir machen?«

»Wegen Geld.«

Die Finger hielten inne, dann jedoch beendeten sie hastig ihr Werk. Als der Zigeuner nackt vor Brodie stand, sagte er: »Natürlich, weswegen sonst.« Er holte tief Luft und lächelte. »Nun, dann los, Euer Lordschaft. Hol dir von mir, was du bezahlt hast.«

Er drehte sich um und ging weg, wodurch er Brodie eine gute Sicht auf seine schmalen Hüften und seinen geraden Rücken bot. Brodie folgte ihm und legte ihm die Hand auf die Schulter. »Es tut mir Leid.«

Doyle lachte bitter. »Was? Dass du meinen Stolz verletzt hast? Einen solchen Luxus können sich Huren nicht leisten.«

»Bist du eine Hure?«

»Du bist derjenige, der mich bezahlt. Was meinst du?« Er wich weiter zurück, und sein Atem kam stoßweise.

Brodie blinzelte, als ihn die Erkenntnis durchzuckte. »Ich glaube, du würdest es auch ohne Bezahlung machen.«

»Du billiger Bastard!« Ungeachtet der Tatsache, dass er nackt war, stürzte sich Doyle auf ihn und riss ihn zu Boden, wo sie sich keuchend wälzten.

Brodie hatte seine Worte nicht so gemeint, aber er machte sich nicht die Mühe, es dem Zigeuner zu erklären. Er genoss das Gefühl der glatten Haut unter seinen Händen, und da er stärker war als Doyle, hatte er ihn rasch bezwungen. Der Mann bäumte sich noch einmal auf, blieb dann jedoch still auf dem Rücken liegen.

Brodie senkte den Kopf und fuhr mit der Zunge über die zarte Haut am Ohr. Doyle schmeckte nach Salz und Gewürzen, Nelken und Zimt, und Brodie atmete seinen Duft tief ein. Mit der Hand umfasste er die Wange des anderen Mannes, und als sein Schenkel in der Reithose über Doyles flachen Bauch glitt, da stöhnte der Zigeuner leise auf.

»Macht dich die Aussicht auf mein Gold so geil?«

»Denk, was du willst.« Doyle drehte den Kopf zur Seite, seine Augen waren schwarz wie Kohle.

»Das tue ich auch«, erwiderte Brodie lächelnd. Seine Hand glitt vom Gesicht herunter zu einer Brustwarze. Er kniff hinein, und die ausdruckslosen, dunklen Augen leuchteten auf. Ihre Lippen trafen sich zu einem leidenschaftlichen, verlangenden Kuss. Stöhnend verlagerte Brodie sein Gewicht, sodass er auf Doyle lag und ihre Glieder sich aneinander rieben.

Sie küssten sich, wie sie sich noch nie geküsst hatten, und Brodie schien es, als ob sein Blut heiß wie Brandy durch seine Adern flösse. Er konnte keinen klaren Gedanken mehr fassen, biss und saugte und stieß seine Zunge tief in den Mund des anderen Mannes hinein. Mit den Fingern zog er an dem harten Nippel, während sich der Körper unter ihm aufbäumte. Und dann stöhnte der Zigeuner erschauernd auf und kam. Sein Sperma spritzte ihm auf Bauch und Brust. Brodie drehte sich zur Seite, um den pulsierenden Schwanz zu betrachten.

Wild vor Lust zerrte Brodie an seiner Kleidung, bis er sich endlich davon befreit hatte. Dann kniete er sich über das Gesicht des anderen und schob seinen Schwanz zwischen die geschwollenen Lippen. Zwei tiefe Stöße, und auch er kam in einem gewaltigen Orgasmus. Nichts auf der Welt zählte mehr, nur noch seine Lust.

Er war immer noch hart, als er von dem anderen Mann abließ. Doyle setzte sich auf und rang keuchend nach Luft. Er schwitzte, und seine Haut war staubig vom Stroh. Auch Brodie war schweißüberströmt. Er richtete sich langsam auf, um seine Kleider vollständig abzulegen. Dann hockte er sich neben den Zigeuner.

»Alles in Ordnung?«

»Ja.«

»Wirklich?«

Der Mann drehte ihm den Kopf zu, und Brodie sah im Schein der Kerzen, dass das Gesicht verzerrt war vor Wut. »Ja!«

Zögernd legte Brodie ihm die Hand auf die Schulter. »Ich wollte dir nicht wehtun.« Er beugte sich vor und gab Doyle einen zarten, scheuen Kuss. Der Zigeuner erwiderte ihn und schmiegte sich an ihn. Schließlich löste sich Brodie von ihm und fragte heiser: »Verzeihst du mir?«

Doyle kniff die schwarzen Augen zusammen und nickte. »Ja. Wenn du mich noch einmal so küsst.«

Brodie gehorchte. Er leckte sanft über Doyles Lippen, bis sie sich öffneten. Als seine Zunge in den Mund glitt, flüsterte er: »Gott.« Er erschauerte, als die Hand des anderen Mannes über seinen Schenkel glitt.

»Du bist immer noch hart.« Doyle berührte den Schaft, der unter seinem Griff noch härter wurde.

»Ich will dich auch noch«, erwiderte Brodie fast tonlos. Er streichelte über die Arme des Mannes und spürte die Muskeln unter der Haut. In den zerzausten Locken steckte Stroh, und er zog es heraus, nur um gleich darauf die Finger wieder in der seidigen Masse zu vergraben. Gott, er begehrte diesen Mann, er war ihm regelrecht verfallen.

»Ich will dich«, wiederholte er, aber dieses Mal klang es eher wie ein Befehl, und sofort stieg wieder Wut zwischen ihnen auf.

Der Zigeuner blickte ihn ausdruckslos an, und dann stand er geschmeidig auf.

»Wohin gehst du?«

»Weg.«

Überrascht blieb Brodie reglos sitzen und sah zu, wie der andere Mann sich die Hose anzog. Ihm war schwindlig vor Verlangen, und er sagte: »Geh nicht!«

»Warum nicht? Du hast doch abgespritzt. Nur deswegen bist du doch hierher gekommen.«

Brodie erhob sich ebenfalls und befahl herrisch: »Du bleibst hier!«

Der Zigeuner hielt inne und blickte ihn lächelnd an. »Ich glaube nicht, dass ich Eure Erlaubnis brauche, Mylord!«

»Ich bezahle dich zusätzlich... um dich zu ficken.« Brodie grinste. »Das habe ich die ganze Zeit gewollt.« Er trat auf Doyle zu, und bei jedem Schritt wurde sein Schwanz härter. »Zieh die Hose aus!«

Der Zigeuner griff nach seinem Hemd, aber er riss es ihm aus der Hand. »Das ist mein bestes Hemd!«, protestierte Doyle wütend.

»Wenn du dir ein neues kaufen willst, musst du zulassen, dass ich dich ficke«, erklärte Brodie spöttisch.

»Du Bastard... Du glaubst wohl, du könntest dir alles erlauben, nur weil du so reich bist!«

»Ja.«

»Nun, da irrst du dich.« Doyle wandte sich ab und griff nach seinen Stiefeln.

Brodie war von dem Gedanken besessen, den widerspenstigen Mann auf der Stelle zu nehmen. Wenn ihm nur diese eine Nacht gewährt würde, dann wäre seine Lust sicherlich gestillt, und das Feuer in seinen Lenden würde erlöschen. Er wäre endlich wieder frei. Aber jetzt einfach so zu gehen erschien ihm undenkbar.

Er packte den Zigeuner an der Schulter und riss ihn herum. »Ich will dich jetzt.«

»Du Ärmster! Wenn ich du wäre, würde ich es mal wieder mit der rechten Hand versuchen, die hat dir doch früher auch gute Dienste geleistet.« Doyle wandte sich erneut zum Gehen. Wenn es sein musste, würde er die Scheune auch halbnackt verlassen.

»Wie kannst du es wagen!« Mit finsterem Gesicht stürzte Brodie sich auf den anderen Mann. Doyle reagierte sofort und versetzte ihm einen Faustschlag ins Gesicht. Aber anstatt den momentanen Vorteil zu einem weiteren Schwinger auszunutzen oder wegzulaufen, blieb er regungslos stehen und wartete, bis Brodie sich wieder aufgerichtet hatte. Vielleicht glaubte er ja, der Adlige würde das Ganze mit einem Lachen abtun. Das war jedoch nicht der Fall, denn Brodie sah jetzt rot und schlug auf den Zigeuner ein, der sich nur sehr schwach wehrte.

Schließlich gelang es Brodie, ihn mit dem Gesicht nach unten ins Stroh zu drücken. Er hielt ihm den Arm auf dem Rücken fest. »Ergib dich. Ich will dich jetzt haben!«

»Du bist wahnsinnig!« Doyle atmete keuchend und kniff vor Schmerzen die Augen zusammen. Er hätte Brodie am liebsten angespuckt. »Ich verfluche dich! Ich bin freiwillig zu dir gekommen!«

»Ja, und du hättest dich mir auch freiwillig hingeben sollen. Aber es war dir nicht genug Geld, was? Du tust nur so schüchtern, weil du mehr Gold aus mir herausholen willst. Habe ich Recht? Ich hätte es wissen sollen! Jämmerlicher Kesselflicker!«

Der Schmerz ließ den Zigeuner aufstöhnen.

»Aber jetzt werde ich dich nehmen!«

»Ich will nicht...«

»Hier geht es nicht darum, was du willst. Halt den Mund!« Brodie vergrub sein Gesicht in den feuchten Locken. Sie dufteten nach Lavendel und Schweiß und auch nach Angst. Diesen Duft kannte er nur zu gut, und stirnrunzelnd hob er den Kopf. Der Kerl hatte Angst vor ihm. Oh Gott! Übelkeit stieg in ihm auf, er hasste sich selbst, und schon wollte er seinen Griff lockern und um Verzeihung bitten, als der Zigeuner plötzlich merkte, dass er nicht mehr so fest gehalten wurde, und aufsprang. Brodie griff nach seinem Knöchel, um ihn am Weglaufen zu hindern, und der andere Mann stolperte und schlug mit einem leisen Aufschrei der Länge nach hin.

Brodie begriff nicht sofort, dass etwas nicht stimmte, aber als er merkte, dass Doyle sich nicht mehr rührte, kroch er rasch zu der reglosen Gestalt.

Zögernd berührte er das Gesicht und zischte vor Schreck auf, als seine Finger auf etwas Warmes, Klebriges trafen. Vorsichtig fühlte er nach dem Puls. Da war er. Er schlug stark und gleichmäßig. Erleichtert atmete er auf und wischte sich den Schweiß von der Stirn. Gott sei Dank, Doyle lebte.

Rasch zog er sich an und schlüpfte in seine Stiefel. Für den Bruchteil einer Sekunde ging ihm durch den Kopf, einfach zu gehen und den Zigeuner liegen zu lassen, aber dann besann er sich und begann, den bewusstlosen Mann anzuziehen. Das Hemd war nicht mehr zu gebrauchen, deshalb ließ er es liegen und legte seine Jacke um den nackten Oberkörper.

Schließlich hockte er sich hin, legte sich die Arme des Mannes, der immer noch nicht wieder zu Bewusstsein gekommen war, über die Schulter und hievte ihn hoch.

Keuchend vor Anstrengung wankte er mit seiner schweren Last nach draußen, wo er Doyle ins Gras legte. Dann ging er noch einmal in die Scheune, um die Kerzen zu löschen und nachzuschauen, ob alles in Ordnung war. Das Blut konnte er natürlich nicht entfernen, aber er schob Stroh darüber. Falls jemand es bemerken sollte, würde er sicher denken, dass es von einem kleinen Tier stammte. Mit Doyles Stiefeln und den beiden Kerzen in der Hand verließ er die Scheune und verriegelte das Tor hinter sich.

Es wurde schon hell, bald würden Leute unterwegs sein. Und so wollte er nun wirklich nicht angetroffen werden.

Er trat zu seinem Pferd, stopfte die Stiefel und die Kerzenstumpen in eine Satteltasche und redete beruhigend auf die Stute ein, während er den Sattelgurt festzurrte. Es war nicht leicht, den leblosen Körper über den Sattel zu hieven, aber irgendwie schaffte er es.

Schwitzend wischte er sich mit der Hand übers Gesicht. Im Osten war schon ein schmaler, heller Streifen am Horizont zu sehen. Der Morgen graute. Das Leder ächzte, als er aufstieg. Vorsichtig setzte er sich in Bewegung.

Er hätte den Zigeuner zu einem Arzt bringen müssen, aber das traute er sich nicht. Stattdessen lenkte er die Stute zum Lagerplatz. Auf dem kleinen Hügel, von dem aus man das Stück Land überblicken konnte, das er dem fahrenden Volk überlassen hatte, blieb er stehen.

Die Lichtung war leer. Nur ein einsamer Wagen stand da, und in der Nähe war ein klappriges Pferd angepflockt. Brodie blinzelte verblüfft. Wo die anderen Wagen gestanden hatten, war das Gras platt gewalzt, und vereinzelt sah man die verbrannten Flecken der Feuerstellen. Die Zigeuner waren weg.

Doyle hatte mit ihm nicht hierher kommen wollen. Sollte er nicht wissen, dass er allein war? Oder war das Ganze nur eine List, um an noch mehr Geld zu gelangen? Mit einem Wagen war man schneller als mit einem ganzen Zug, und es konnte gut sein, dass er die anderen vorausgeschickt hatte. Vielleicht hatte er ihn ausrauben wollen. Aber das war Unsinn. Doyle hatte nie versucht, ihn zu bestehlen, und trotz des Rufs, den sein Volk genoss, sah es ihm überhaupt nicht ähnlich.

Außerdem konnte Brodie wohl kaum seine Schuld auf ihn abwälzen.

Schnalzend trieb er Bess an. Als sie den Hügel herunterkamen, wieherte das Zigeunerpferd leise, beachtete sie aber ansonsten kaum und graste ruhig weiter.

Brodie stieg ab, blieb eine Weile lauschend stehen und holte dann den Bewusstlosen vom Sattel herunter. Im kalten Morgenlicht sah er das getrocknete Blut an der Wange. Und doch war er immer noch attraktiv und erregte Brodie, wenn er ihn bloß anschaute.

Seufzend nahm er ihn über die Schulter und ging zu den

hölzernen Stufen am Eingang des Wagens. Als er eintrat, empfing ihn der Geruch des Mannes in seinen Armen: Lavendel, Rosmarin, Mann.

Vorsichtig legte Brodie seine Last auf dem Bett ab. Eine Lampe stand daneben, und er fand einen Feuerstein und entzündete sie. Das Licht fiel auf eine wahre Schatzkammer. Bücher und Nippes, Töpfe und Pfannen, Spiegel und bunte Steine – überall stand und lag etwas auf den geschnitzten oder bemalten Flächen.

Ein Schauer durchrann Brodie, und er wandte sich entschlossen ab, um seinen reglosen Liebhaber zu versorgen. Der Puls war kräftig und gleichmäßig, und die Haut fühlte sich kühl an. Er würde sicher gleich aufwachen.

Dann konnte Brodie ja eigentlich jetzt gehen. Andererseits würde er sich sein Leben lang Vorwürfe machen, wenn noch etwas passierte. Verlegen stellte er fest, wie viel ihm der andere Mann bedeutete. Er hätte es nie für möglich gehalten.

Mit seinen kräftigen Fingern strich er die Haarsträhnen aus dem stillen Gesicht, das er nachdenklich betrachtete. Dann wandte er sich ab und ging nach draußen.

Hinten am Wagen war eine Wassertonne befestigt. Er trank durstig daraus, dann füllte er einen Eimer und ging wieder in den Wagen. Ein wenig von dem Wasser goss er in einen Krug zum Trinken. Er öffnete die Fensterläden, um Licht hineinzulassen, und begann vorsichtig, den bewusstlosen Mann zu säubern.

Als er ihn entkleidete und die Blutergüsse auf den Armen und am Bauch sah, verfinsterte sich sein Gesicht. Zart fuhr er mit dem Finger über die wunden Stellen, wobei er im Stillen seine Gewalttätigkeit verfluchte. Ob er ihn aus Leidenschaft oder aus Wut so zugerichtet hatte, spielte keine Rolle – beides war unentschuldbar.

Dem reglosen Mann die Hose auszuziehen war ein schwieriges Unterfangen, aber schließlich hatte er es geschafft, und Doyle lag nackt vor ihm. Brodie riss einen Stoffstreifen von seinem Hemd ab, tauchte ihn ins Wasser und wischte vorsichtig das eingetrocknete Blut von Gesicht und Brustkorb des Zigeuners. Aus einem tiefen Schnitt, der direkt unter dem Haaransatz über eine Beule an seiner Stirn verlief, aber schon wieder geschlossen war, hatte er stark geblutet. Er würde sicher ohne Probleme verheilen. Neben dem Bett stand eine Flasche mit französischem Cognac, und ohne auch nur einen Gedanken daran zu verschwenden, wie der Zigeuner daran gekommen sein mochte, entkorkte Brodie die Flasche, gab ein wenig Alkohol auf einen Stoffstreifen und betupfte damit die Wunde. Der Bewusstlose regte sich, runzelte die Stirn und murmelte etwas Unverständliches, wachte jedoch nicht auf.

Brodie deckte ihn zu und machte sich dann daran, sich selber zu säubern. Als er sein Hemd auszog, schmerzten seine Rippen, aber offenbar war nichts gebrochen. Blut aus seiner Nase bedeckte sein Gesicht; als er es abwusch, zuckte er erneut vor Schmerz zusammen. Seine Nase war jedoch heil geblieben, wie er feststellte, als er sie vorsichtig betastete.

Schließlich war er wieder sauber und fühlte sich schon wesentlich besser, als er sein Hemd wieder anzog. Einen Moment lang blieb er am Bett stehen und blickte auf den schlafenden Mann. Wie alt mochte er sein? Vermutlich so alt wie er selbst. Wo kam er her? Was für Vorlieben und Wünsche mochte er haben? Er machte Liebe so kenntnis-

reich, zartfühlend und feurig, wie Brodie es noch nie erlebt hatte. Er wusste, wie er gefickt werden wollte und
welche Berührungen er liebte, aber mehr auch nicht. Alles
andere war ein Geheimnis. Er war dünn, stellte Brodie
fest, die Haut spannte sich fest über seinen Knochen. Sie
hatten nie zusammen gegessen, immer nur gefickt.

Und jetzt war es vorbei. Jedenfalls wenn der Zigeuner
aufwachte und er gehen konnte. Dass er so lange be-
wusstlos blieb, machte ihm Sorgen, und Brodie fragte
sich, ob es wohl ein Fehler gewesen war, nicht direkt mit
ihm zum Arzt zu reiten. Wenn die anderen Zigeuner hier
gewesen wären, wäre es einfacher gewesen. Seufzend fuhr
er dem anderen Mann mit der Hand über die Wange.
Dann ließ er sie wieder sinken. Dieser Wahnsinn musste
sowieso endlich ein Ende haben.

Erschreckt stellte er fest, dass Doyle die Augen aufgeschlagen hatte. Brodie setzte sich auf die Bettkante. »Wie
geht es dir?«

»Mir tut der Kopf weh.«

»Du hast ihn dir aufgeschlagen, als wir …« Seine Stimme bebte, und er stand auf. »Möchtest du etwas trinken?«

Doyle nickte leicht, was ihm offensichtlich schwer fiel.
Er stöhnte leise, als Brodie sich neben das Bett kniete und
ihm half, sich ein wenig aufzurichten, damit er einen
Schluck Wasser aus einer angeschlagenen Porzellantasse
trinken konnte. Als er wieder in den Kissen lag, hob er die
Hand an den Kopf und betastete vorsichtig die Beule auf
der Stirn. »Hast du die Wunde gesäubert?«

»Hmm. Ich habe eigentlich erwartet, dass die anderen
auch hier wären.«

»Und du wolltest mich bei ihnen lassen?«

»Ich hielt es für eine gute Idee.«

»Ja.« Doyle schloss die Augen und öffnete sie wieder. »Danke.«

»Bitte.« Brodie hätte fast laut aufgelacht. So höflich war der Zigeuner noch nie gewesen.

»Warum lachst du?« Die Stimme klang dünn, als schmerzte ihn die Stimme selbst bei leisem Sprechen.

»Du brauchst dich nicht bei mir zu bedanken, schließlich habe ich dich ja so zugerichtet.«

»Du hättest mich ja auch liegen lassen können.«

Brodie sagte ihm nicht, dass er das beinahe getan hätte. »Ich glaube, deinen Tod hätte ich mit meinem Gewissen nicht vereinbaren können.«

»Du bist doch ein Lord. Du hast gar kein Gewissen.«

»Ach nein?«

»Es kommt mir unwahrscheinlich vor.« Doyle legte den Kopf schräg, um Brodie anzublicken. Dann schloss er erneut die Augen. Er war drauf und dran, wieder einzuschlafen. »Hast du mich gefickt, nachdem wir gekämpft haben?«

Brodie schluckte verblüfft. »Nein.«

»Das habe ich mich gefragt.« Doyle leckte sich über die Lippen. »Ich wollte dich auch. Das war immer schon so, und wird wohl auch so bleiben.«

Himmel! Brodie hatte das Gefühl, als hätte man ihm das Herz aus der Brust gerissen und ihm noch pochend in den Hals geschoben. »Aber...« Ihm fehlten die Worte. Warum hatten sie sich dann eigentlich geprügelt? »Warum...«

Aber der Mann im Bett schlief bereits.

Brodie holte tief Luft. Er war kreidebleich. Doyle hatte ihn begehrt. Begehrte ihn. Ach, es machte alles nur noch schlimmer.

Er stand auf und trat nach draußen. Dort sank er aufs Gras neben der Treppe und starrte blicklos in die Bäume. Er merkte nicht, dass ihm die Sonne das Gesicht wärmte, er konnte an nichts anderes denken, als dass er den Mann im Wohnwagen liebte und von ihm wiedergeliebt wurde.

Was hatte sein Vater über Niedriggestellte gesagt? Fick sie, bezahl sie, und schick sie weg. Das Problem war nur, dass er es dieses Mal nicht wollte. Mit diesem Mann nie wieder. Mit einem Mann, der höchstwahrscheinlich ein Dieb war, unbestreitbar unmoralisch und nach allem, was Brodie wusste, eine Hure. Und hinzu kam noch sein unpassendes Geschlecht.

Hölle und Verdammnis! Brodie erschauerte trotz der Wärme und verfluchte sich und den Zigeuner.

Ganz langsam erhob er sich und ging wieder die Holztreppe hinauf. Wie ein Verurteilter stieß er die Tür auf und starrte hilflos auf die schlafende Gestalt im Bett. Als er eintrat, öffnete der Zigeuner die Augen und lächelte ihn an.

»Du wirst schon sehen, ich bin in null Komma nichts wieder auf den Beinen.«

Brodie räusperte sich. »Du brauchst Ruhe.« Er fand, er klang relativ normal.

»Ja, und dann sehen wir weiter.« Doyle wirkte glücklich.

»Ja«, erwiderte Brodie, und der Zigeuner schlief wieder ein.

Brodie holte tief Luft und wich ein paar Schritte zurück. Mehr zu sich selber flüsterte er: »Ich würde dich ja mitnehmen, aber ich kann dich nicht zerstören, und das würde ich tun. Diese engstirnigen Bastarde, die sich meine Freunde nennen, würden dich in Stücke reißen, von den Dienstboten ganz zu schweigen ...« Mit schmerzerfülltem Gesicht brach er ab. Dann drehte er sich auf dem Absatz um und ging, ohne sich noch einmal umzublicken.

Er pfiff leise nach Bess, zog den Sattelgurt fest und saß auf. Als ob alle Teufel der Welt hinter ihm her wären, galoppierte er über den Hügel zu seinem prächtigen Haus. Er ritt in die Einsamkeit, und es tat so weh wie noch nie etwas zuvor.

Es gibt viele Wege, sich selbst zu zerstören, und Brodie wählte den kurzen Weg zum Vergessen, den er im Brandy fand. Niemand außer seinem Kammerdiener wagte es, ihm nahe zu kommen, und die Leute waren nur sicher vor seinen Wutausbrüchen, wenn er sturzbetrunken auf dem Boden lag.

Nachdem er Doyle verlassen hatte, war er voller Panik von seinem Besitz geflohen und ohne Gepäck nach London geritten, um keine Spur zu hinterlassen. Jetzt, im Hochsommer, war die Stadt menschenleer, und es herrschte brütende Hitze. Er konnte an nichts anderes denken als an den Mann, den er verlassen hatte. Wenn er schlief – was nur möglich war, wenn er genug Brandy, Portwein oder Wein getrunken hatte oder besser noch eine Kombination aus allen dreien –, träumte er. Und die Erinnerung an die Freuden, die er so kalt verschmäht hatte, quälte ihn.

Alles war ihm gleichgültig. Als er nach einer heftigen Szene feststellen musste, dass sein Kammerdiener sich weigerte, ihn unrasiert oder nachlässig angezogen aus dem Haus gehen zu lassen, ging er gar nicht mehr aus. Er wanderte durch die Zimmer seines Hauses wie ein Gespenst, aß kaum und fand keine Ruhe.

Ihn schreckte nicht einmal mehr die Aussicht auf den Tod.

In der fünfzehnten Nacht seiner selbst auferlegten Einsamkeit saß er in seinem prächtigen Speisezimmer und hasste die ganze Welt. Die Dienstboten hatte er durch sein Brüllen verjagt, sie hatten ihn seinem Brandy, seiner Wut und den endlosen Erinnerungen, die ihn quälten, überlassen. Auf dem Tisch vor ihm stand kalt und unberührt eine köstliche Mahlzeit. Er hatte keinen Bissen gegessen, sondern nur getrunken. Entschlossen leerte er Glas um Glas und wartete auf den Augenblick, da er nicht mehr denken konnte, was für gewöhnlich gegen Ende der zweiten Flasche der Fall war. Jetzt allerdings hatte er erst zwei Drittel der ersten Flasche bewältigt.

Nachlässig hing er in seinem geschnitzten Armlehnstuhl und nahm einen tiefen Schluck. Von draußen drang Wind herein und zerrte an den weiten Ärmeln seines zerknitterten, fleckigen Hemdes.

Er fragte sich, wo der Zigeuner wohl wäre.

Verdammt! Dass Gedanken so wehtun konnten! Er zuckte zusammen und griff erneut nach der Flasche. Gleich war er so betrunken, dass er nicht mehr nachzudenken brauchte. Seine Finger schlossen sich um das Glas, aber dann stockte ihm auf einmal der Atem.

»Hallo, Euer Lordschaft.«

»Wie…« Die Stimme versagte ihm. Er versuchte es noch einmal. »Wie…«

»Sag einfach hallo.« Der Eindringling trat durch die breiten Glastüren, die sich zum Garten hin öffneten. Vor Brodie blieb er stehen und musterte ihn lächelnd. »Du siehst übel aus.«

Brodie kniff die Augen zusammen. Sah Doyle anders aus? Er wirkte lebendig und schlank wie immer, die Schramme im Gesicht war verschwunden und die Haare frisch gewaschen.

In seiner Hand blitzte ein Messer.

Brodie ließ die Arme sinken. »Was willst du?«

»Dich.« In Reitcape und Stiefeln trat er fast geräuschlos hinter Brodies Stuhl und legte ihm die Hand auf die Schulter. »Ich suche dich seit zwei Wochen. Man glaubt ja nicht, wie viele Häuser ein einzelner Mann besitzen kann.« Die Tonlage seiner Stimme veränderte sich, und plötzlich war ihr der Schmerz anzumerken. »Warum bist du gegangen?«

»Ich bin weggelaufen…«

»Das habe ich gemerkt. In der einen Minute warst du noch da, und in der nächsten wachte ich mit schmerzendem Kopf auf, und du warst weg.«

»Ich lief…«

»Habe ich dir solche Angst eingejagt?«

»Nein!«

»Was dann?« Er drückte Brodie die Klinge an den Hals und lächelte, als der Mann ganz still wurde. »Hast du geglaubt, du könntest mir Angst machen?«

»Es hätte nicht funktioniert…«

»Was? Hast du gedacht, ich wollte geheiratet werden

oder würde viel Geld verlangen, weil du mich gefickt hast? War es das? Hast du geglaubt, ich wollte dich erpressen?« Er lachte bitter auf. »Oder hast du gar nichts gedacht?« Das Messer blitzte auf, und ein Knopf fiel zu Boden.

Brodie versuchte zu nicken, aber die Klinge drückte sich zu fest gegen seinen Hals. Er schluckte und umklammerte die Armlehnen seines Stuhls, als sein Hemd aufgeknöpft und sein Brustkorb entblößt wurde.

»Oder war ich dir lästig? War es das? Verlangte die Hure zu viel Aufmerksamkeit, sodass du weglaufen musstest?«

Brodie zuckte zusammen, als der Zigeuner in einen seiner Nippel kniff. Seine Stimme klang seltsam atemlos. »Nein, so war es nicht.«

»Wie war es dann, Euer Lordschaft? Erzählt mir eine Geschichte, die ich glauben kann.«

»Das kann ich nicht ... Du wirst mir nicht ...«

»Dir nicht glauben? Versuch es doch!«

Eine Hand streichelte seine Haut, und der Daumen rieb über den kleinen, harten Knoten des Nippels.

»Ich bin gegangen, weil es das Beste war.«

»Welche Ehre! Warum?«

Brodie schluckte und stellte sich genau dieselbe Frage. Es hatte ihnen beiden doch nur Schmerzen gebracht, wenn er Doyles angespanntes, schmales Gesicht richtig interpretierte.

Der Brandy vernebelte ihm das Gehirn, aber er brachte auch die Wahrheit hervor. Die ganze, ungeschönte Wahrheit. Ach, verdammt, mehr als auslachen konnte Doyle ihn nicht. »Ich bin gegangen, weil mir klar geworden ist, dass ich dich liebe.« Der andere Mann schwieg. Brodie leckte sich über die Lippen und versuchte zu erklären. »Ich konnte doch nicht bleiben und dich ruinieren.«

»Mich ruinieren? Ich bin doch keine blöde Kammerzofe!«

»Nein, in den Augen der anderen bist du sogar noch geringer.«

»Mir ist es egal, was die anderen denken! Aber offensichtlich hat es wohl auch keine Rolle gespielt, was ich dachte und wollte.«

»Ich...« Brodie schluckte. »Ich dachte, du empfindest ähnlich für mich und würdest mich verstehen. Aber ich war mir nicht sicher, und es war alles so verdammt hoffnungslos. Verstehst du denn nicht, wie ich es sah? Du... du bist, was du eben bist. Und ich bin...«

»Betrunken. Und ein Idiot.«

Brodie hörte die plötzliche raue Zuneigung in der Stimme des Zigeuners nicht. Er war versunken in seiner Verzweiflung. »Zwischen uns darf nichts sein! Meine Welt würde dich zerstören, dich in Stücke reißen und auf dir herumtrampeln.«

Doyle steckte das Messer in die Scheide. »Nun, in meiner Welt wäre man wohl auch nicht allzu erfreut über dich, aber mir ist es völlig egal, was die anderen denken.« Plötzlich beugte er sich vor, und seine Hand glitt in den Bund von Brodies Hose. Er seufzte leise, als er fand, was er suchte. »Sehr schön. Wie lange bist du schon hart?«

Es hatte keinen Zweck, ihm etwas vorzumachen. Doyle war auf einmal so nahe, und seine Haare streiften über Brodies Wange. Er musste sich beherrschen, um nicht auf der Stelle zu kommen, so erregend waren der Duft und die Wärme des anderen Mannes. Das Verlangen schnürte ihm die Kehle zusammen, als er erwiderte: »Seit du hereingekommen bist.« Ein Schauer lief ihm über den Rücken, und er schloss die Augen.

»Gut«, flüsterte Doyle. »Es würde mir nicht gefallen, wenn es bei dir anders wäre als bei mir.«

»Doyle...«

»Nenn mich Aiden. Ich habe nämlich auch einen Namen. Und du?«

»Ja, William.«

»Lord William, süßer William, was mache ich nur mit dir? Und übrigens, wann hast du zuletzt gebadet?«

»Jesus!« Brodie versuchte, Doyle wegzustoßen. »Fass mich nicht an, ich bin schmutzig...« Wie lange war es her, seit sein Kammerdiener ihn gezwungen hatte, sich ein wenig zu säubern? Einen Tag? Zwei? Oder sogar mehr?

»Das ist wohl wahr, aber es ist mir egal. Sauber kannst du später immer noch für mich sein, Lord William, aber jetzt will ich dich verschwitzt und mit Bart und allem.« Er strich leicht über die heiße Haut und lächelte, als Brodie ein Stöhnen entschlüpfte.

»Doyle.«

»Mmm? Meinst du, wir werden gestört?« Seine Hände glitten tiefer und drückten sich in das weiche Fleisch.

»Nein, nicht. Ich komme gleich«, keuchte Brodie. Der Zigeuner hatte offenbar Mitleid mit ihm, denn er zog die Hände weg. Brodie holte zitternd Luft. Wenn es trotz des vielen Brandys nur einer Berührung bedurfte, dann gab es wohl keine Hoffnung mehr.

Der Zigeuner trat um den Stuhl herum und blickte

Brodie an. »Dann küss mich, Lord William. Du hast mir schrecklich gefehlt.«

Brodie sprang auf und zog den schlanken Körper in die Arme. Der Raum drehte sich um ihn, als ihre Lippen sich trafen. Der Zigeuner schmeckte so, wie seine Erinnerung es ihm vorgegaukelt hatte: nach Geheimnis und Lust, nach Leidenschaft. Er drückte sich an ihn, bis sein harter Schwanz auf das Gegenstück traf und sie sich stöhnend aneinander rieben. Nichts spielte mehr eine Rolle, es zählte nur noch der Augenblick, und alles andere war ihm gleichgültig.

Er brauchte diesen Mann so sehr. Die Gesellschaft konnte sich zum Teufel scheren und der Rest der Welt ebenfalls.

Er drückte Doyle gegen die Tischkante, und Geschirr, Besteck und Gläser rutschten über die glatte Platte oder fielen zu Boden. Und dann lag er über dem Körper des anderen. Er küsste ihn sanft, atemlos, und sein Kuss wurde erwidert. Am liebsten hätte er den Mann, den er liebte und begehrte, verschlungen. Er drückte sich so eng an ihn, wie es die Kleidung zuließ, und Doyle hob stöhnend ein Knie und umschlang ihn mit dem Bein. Schließlich lagen sie nur noch schwer atmend da, die Finger ineinander verschlungen, und blickten sich an.

Sie wussten beide, dass ihr Schicksal besiegelt war. Für immer.

Pelzige Freuden

Die Katze von nebenan brachte sie auf die Idee.

Es war erst zehn Uhr morgens, aber draußen herrschte bereits eine Gluthitze, als Jade die Tür zur Feuerleiter öffnete und auf den winzigen Balkon ihres Appartements trat. Es war Samstag: Sie hatte ausgiebig geduscht und jedes einzelne überflüssige Haar von ihren Beinen entfernt. Der dünne Wickelrock glitt sanft über ihre Unterschenkel. Und gerade, als sie entspannt und unaufmerksam dastand, huschte das Kätzchen ihres Nachbarn zwischen ihre Beine.

Es dauerte nur einen winzigen Augenblick lang, aber ihr stockte der Atem. Das Fell fühlte sich auf der nackten, glatten Haut so wunderbar an, dass sie gar nicht glauben konnte, dass sie nicht schon früher darauf gekommen war.

Und noch bevor sie sich darüber im Klaren war, hatte ihr Unterbewusstsein die Entscheidung schon für sie getroffen. Sie würde erst wieder befriedigt sein, wenn sie mit ihrem jungen, geschmeidigen Körper Liebe auf einer sinnlichen Pelzfläche gemacht hätte.

Aber wie sollte sie das anstellen? Alle Liebhaber, die Jade bisher gehabt hatte, waren – wie sie selbst – ernsthafte, politisch motivierte Vegetarier gewesen. Sie würden nicht einmal in die Nähe eines Pelzes kommen wollen, geschweige denn, dass sie ihn als Unterlage für Liebesspiele verwenden würden. Das müsste sie schon alleine durchziehen. Dass sie etwas Verbotenes tun würde, jagte ihr einen Schauer über den Rücken.

An diesem Punkt kam Jades pragmatische Seite zum Vorschein. Sie wusste ganz genau, wo sie einen alten Pelzmantel kaufen konnte. Gebrauchte Pelzmäntel zählten doch sowieso nicht. Das Tier war schon lange tot, vielleicht sogar schon bevor Jade Vegetarierin geworden war. Also brauchte sie deshalb kein schlechtes Gewissen zu haben, oder?

Das alte Einkaufszentrum war in einer heruntergekommeneren Gegend der Stadt. Jade war schon oft dort gewesen. Es gab kleine Läden mit Retro-Mode, Schallplatten für Sammler und esoterischen Schmuck. In dem Laden mit Secondhand-Pelzen und gebrauchten Ledersachen war sie allerdings noch nie gewesen.

Sie schaute sich die Pelze an. Ganz neue Möglichkeiten offenbarten sich ihr. Was war zum Beispiel mit der kurzen, taillierten Fuchspelzjacke? Sie könnte sie ohne etwas darunter mit der Außenseite nach innen tragen, sodass sie die weichen Härchen an ihren hoch angesetzten, festen Brüsten spürte. Sie blickte an sich hinunter. Unter ihrem dünnen Baumwolltop hatten sich ihre Nippel unübersehbar aufgerichtet.

Unbehaglich warf sie dem jungen Besitzer des Ladens einen Blick zu. Er musterte sie aufmerksam. Ihre Umhängetasche aus Leinen passte nicht so ganz hierher. Ob er wohl dachte, sie wolle eine Bombe in seine Ware werfen?

Jade traf ihre Wahl. Einen bodenlangen Mantel aus geflecktem Kaninchenfell. Sie konnte ihn ohne weiteres auf ihrem niedrigen Futonbett ausbreiten. Und dann würde sie sich bäuchlings darauf legen und den Pelz an ihrem jungen, straffen Körper spüren.

Sie ging mit dem Mantel zu dem jungen Mann an der Kasse. Er wirkte wie jemand, der schon alles gesehen hatte und nicht leicht zu schockieren war. Er hatte dunkle, zerzauste Locken und einen Dreitagebart.

Jade öffnete ihr Portemonnaie und zählte die Summe ab, die auf dem Preisschild stand. Es war weitaus mehr, als sie jemals für ein Kleidungsstück bezahlt hatte. Er wollte den Mantel gerade in eine Tragetasche packen, als er innehielt.

»Ich kann nicht zulassen, dass Sie ihn nehmen«, erklärte er.

»Warum? Was ist denn los?«

»Hier, das Futter am Saum hat sich gelöst.«

»Na ja, das ist nicht schlimm. Eigentlich spielt es überhaupt keine Rolle. Ich hatte sowieso nicht vor...«

Verwirrt brach Jade ab. Sie konnte ihm doch unmöglich erklären, zu welchem Zweck sie den Mantel brauchte!

»Ich kann Ihnen nichts verkaufen, was in einem solchen Zustand ist«, erwiderte er. »Es geht schließlich um meinen Ruf. Meine Schneiderin wird es ausbessern. Sind Sie von hier? Gut. Wenn Sie mir Ihren Namen und Ihre Adresse aufschreiben, kann ich Ihnen den Mantel vorbeibringen.«

Zitternd vor Frustration griff Jade nach dem Kugelschreiber, den er ihr reichte. Aber dann besann sie sich eines Besseren.

»Nein«, sagte sie. »Ich hole ihn lieber selber ab.«

Er zog eine Augenbraue hoch, aber sie konnte nicht erkennen, ob er amüsiert oder enttäuscht war. Es waren dunkle, schön geschwungene Augenbrauen. Und in den ungewöhnlich grünen Augen tanzten Lichtpünktchen. Solche Augen waren gefährlich, und sie wusste, dass ihr Instinkt, ihn auf Distanz zu halten, richtig gewesen war.

»Wie Sie wollen«, erwiderte er gedehnt. »Dann kommen Sie am Donnerstag.«

Am Donnerstag! Noch ganze fünf Tage musste sie auf den Kuss des weichen Fells an ihrem Körper warten.

Es kam ihr vor wie eine Ewigkeit. Sie konnte kaum an etwas anderes denken. Männer, mit denen sie gelegentlich ins Bett ging, riefen an, aber sie wies sie ab. Nachts im Bett fuhr sie sich mit den Händen über Brüste und Bauch. Schlaflos wälzte sie sich in der Bettwäsche aus ungebleichter Baumwolle, deren Weichheit ihr sonst immer so viel Freude bereitet hatte. Jetzt war es nicht mehr genug.

Als es endlich Donnerstag war, ging sie früh aus dem Büro und rannte die Treppe zu dem Pelzladen im obersten Stockwerk des Einkaufszentrums hinauf.

Der Laden war abgesperrt und die Gitter heruntergelassen. Jade zog scharf die Luft ein, als hätte man sie ins Gesicht geschlagen.

»Suchen Sie danach?«

Jade drehte sich um. Eine Frau aus einem der anderen Läden kam mit einem großen Paket auf sie zu.

»Er hat mir gesagt, dass er jemanden erwartet.« Die Frau musterte Jade: ihre hennagefärbten Haare, die alternative Kleidung, die Schultertasche aus Baumwolle. »Ja«, stellte sie mit Entschiedenheit fest. »Das sind Sie.« Sie

reichte ihr das Paket und verzog spöttisch die Mundwin-
kel. »Viel Vergnügen.«

Den ganzen Weg nach Hause drückte Jade das Paket fest
an die Brust. In ihrer Wohnung packte sie den Mantel aus
und legte ihn auf das Bett. Dabei fiel ein Zettel heraus.

»Ich weiß, was du vorhast«, stand darauf. »Ruf mich
an.« Darunter war eine örtliche Telefonnummer angegeben.

Sie zerknüllte den Zettel und warf ihn beiseite. Blöder
Kerl. Es war richtig gewesen, dass sie ihre Adresse für sich
behalten hatte.

Der Mantel lag einladend vor ihr, die Ärmel weit ausgebreitet wie die Arme eines Liebhabers. Jade begann sich
langsam auszuziehen, als wenn ihr jemand zuschaute. Sie
schälte sich aus ihrem dünnen, ausgeschnittenen T-Shirt
und fuhr mit den Händen über ihre festen, bloßen Brüste.
Sie brauchte keinen Büstenhalter zu tragen, vor allem
nicht bei dieser Hitze. Eine leichte Brise drang durch das
Fenster herein und küsste ihre Haut wie ein gieriger Be-
wunderer. Ihre Nippel richteten sich auf.

Sie band ihren Wickelrock auf und ließ ihn zu Boden
gleiten. Sieh her, hätte sie jetzt gerne zu ihrem unsichtbaren Liebhaber gesagt, ich trage keinen Slip. Den ganzen
Tag über bin ich so herumgelaufen, nackt und bereit
unter dem Rock, und habe an dich gedacht.

Dann griff sie zu ihrem Lieblingsdildo. Die Latexhaut
war einem echten Schwanz sehr ähnlich. Sie küsste die
Spitze, die von ihren Säften noch leicht nach Salz
schmeckte, als sie ihn tief in sich aufgenommen hatte.

Jetzt war es wieder so weit. Es war an der Zeit, sich

bäuchlings auf das Kaninchenfell zu legen und sich darauf zu winden, sodass ihre Brüste über die flauschige Oberfläche glitten. Zeit, ihren Hintern hoch in die Luft zu recken und zu masturbieren, während sie sich vorstellte, dass sie ein unsichtbarer Liebhaber unerbittlich von hinten fickte.

Aber halt: Irgendetwas stimmte nicht. Die Umstände waren nicht ganz richtig. Die Katze hatte sich um ihre Beine geschlungen, als sie glatt und frisch epiliert gewesen waren. Aber an anderen Stellen?

Jade eilte ins Badezimmer und rasierte so viel von ihrem Schamhaar ab, wie sie sich traute, ohne sich zu schneiden. Dann nahm sie den Rubbelhandschuh, den sie auch für ihre Beine verwendete, und begann, ihn in winzigen Kreisen über ihren Venushügel zu reiben.

Es fühlte sich so gut an. Seit sie erwachsen war, war ihre Haut dort nie wirklich nackt gewesen, und jetzt genoss sie die intime Liebkosung. Köstliche, kleine Schauer durchrannen sie, während sie die letzten Stoppeln abrubbelte. Oh, es würde überwältigend sein, das Fell an der glatten Haut zu spüren!

Jade ging wieder zurück ins Schlafzimmer und legte sich auf den Kaninchenmantel. Seufzend rieb sie sich daran. Sie hatte keine Eile, sie hatte alle Zeit der Welt. Sie wickelte die Ärmel des Mantels um sich und schmiegte sich in das kuschelige Fell hinein. Dann griff sie zu dem Joint, den sie auf den Nachttisch gelegt hatte, und zündete ihn an.

Vermutlich trieb der Rauch durch die großen, offenen Fenster nach draußen, aber das war Jade egal. Ihren Nachbarn machte es nichts aus. Schon bald stellte sich das gewohnte Gefühl ein, und ihr ganzer Körper prickelte, als ob ihr Blut sich erhitzte. Sie rieb ihren Hintern hin und her, und ein paar der längeren Härchen stellten sich auf und kitzelten ihre feste Rosette.

Eine Katze sprang zum Fenster hinein. Das Kätzchen von nebenan. Sie kam zu ihrem Bett und begann, an dem Fell zu schnüffeln. Schließlich rieb sie ihr Köpfchen an ihrer Hüfte.

Noch nie war sie von so viel Fell umgeben gewesen. Der weiche, flauschige Pelz unter ihr und die Katze, die an ihrer Seite entlangglitt. Sie kam sich ganz sündig vor – so etwas Dekadentes hatte sie noch nie getan. Aber genau deshalb fühlte es sich auch so gut an.

Eine weitere Katze schlüpfte durchs Fenster, eine graue Perserkatze, die sie noch nie zuvor gesehen hatte. Sie sprang ihr auf den Bauch und wälzte sich auf dem Rücken, wie Katzen es eben tun. Ihr flauschiger Schwanz wischte über Jades entblößten Venushügel. Es war eine Berührung wie eine Feder, aber Jade erschauerte.

Als sie den letzten Zug von ihrem Joint genommen hatte, fühlte sie sich sinnlich, entspannt und bereit. Da fiel ihr plötzlich der zerknüllte Zettel ins Auge.

Langsam rollte sie zur Seite, und die Perserkatze glitt ärgerlich miauend von ihrem Bauch. Sie glättete das Papier und fuhr nachdenklich mit der Fingerspitze über die Nummer. Warum nicht? Das Telefon stand auf ihrem Nachttisch. Sie wusste, was sie tat.

»Hallo?«, sagte die Stimme am anderen Ende der Leitung.

Jade stellte sich den Mann mit den zerzausten, lockigen Haaren vor, die sich bestimmt gut anfühlten, jedoch nicht so gut wie die unzähligen feinen Härchen, die intim über ihre nackte Haut glitten. Sie dachte an die Lichtpünktchen in seinen grünen Augen, die zu viel sahen und wussten. Er war gefährlich. Aber sie hielt ihn auf Abstand.

»Du weißt, was ich vorhabe«, erklärte sie.

Eine Pause entstand, als müsste der Mann am anderen Ende der Leitung ihre Worte abwägen, aber dann murmelte er: »Ich kann es mir vorstellen. Aber du könntest mir dabei helfen.«

»Ich liege auf dem Mantel. Im Bett. Ich habe absolut nichts an.«

Sie hörte ein schwaches Geräusch, als ob jemand einen Reißverschluss aufziehen würde. Vielleicht hatte er ja gerade seinen Schwanz herausgeholt. Vielleicht wurde er jetzt gerade hart in seiner Hand, und er wartete darauf, dass sie das nächste erotische Bild heraufbeschwor.

»Was machst du gerade?«, wollte er wissen.

»Im Augenblick? Ich betaste meine Titten.«

»Beschreib sie.«

»Sie sind hoch und fest, wie Pampelmusen. Normalerweise trage ich keinen Büstenhalter.«

»Ich weiß. Das ist mir direkt aufgefallen, als du in meinen Laden kamst. Sprich weiter.«

»Mein Finger gleitet in das Tal zwischen den Brüsten. Dort ist ein kleines, schokoladenbraunes Muttermal, genau über dem einen Nippel. Es sieht gut aus, wenn ich tief ausgeschnittene Sachen trage, weil es die Aufmerksamkeit auf die Brust richtet.«

Jade legte ihre Hand über die Muschel. Beinahe hätte sie laut aufgelacht. So etwas hatte sie noch nie gemacht, und sie konnte es kaum fassen. Aber irgendwie schienen ihr die richtigen Worte von selber einzufallen, und es erregte sie schon, wenn sie sie nur aussprach. Sie konnte in jede Rolle schlüpfen und alles Mögliche erfinden.

»Ich rolle mich jetzt auf den Bauch«, fuhr sie fort, »und reibe meinen Körper am Pelz. Es fühlt sich so gut an. Er gleitet ganz weich über meine Nippel, und sie werden so hart.«

»Ja, das ist mir im Laden auch aufgefallen. Als du die Pelze auf dem Kleiderständer betastet hast, haben sich deine Nippel aufgerichtet, sodass man sie unter deinem T-Shirt sehen konnte. Wenn ich bloß daran denke. Himmel!«

Sie hörte ein Keuchen und heftiges Atmen.

»Bist du gekommen?«, fragte sie nach einer Weile, wobei sie versuchte, nicht zu triumphierend zu klingen. Normalerweise war es schlecht, wenn ein Liebhaber so schnell zum Orgasmus kam, aber dieses Mal war es egal. Sie hatte das bewirkt. Ihre Worte. Die Fantasien, die sie damit auslöste.

»Ja, ich bin gekommen. Allerdings hätte ich lieber auf deine festen, kleinen Titten abgespritzt. Weißt du was? Ich komme gleich noch einmal!«

Jade rollte sich auf den Rücken. Sie griff ins Regal und nahm eine kleine Flasche Massagelotion heraus, ein reines Naturprodukt, nicht an Tieren getestet. Sie goss sich ein wenig zwischen die Brüste und begann sie zu verreiben. Sie war kühl und cremig und duftete nach Kakaobutter. Sie musste an Schokolade denken, auch so ein sinnlicher Luxus.

»Du hast gerade voll auf mich abgespritzt«, sagte sie. »Und jetzt verreibe ich es. Ich finde es wunderbar.«

»Ja? Und wie ist der Pelz?«

Jade zog ein Bein an. Die Perserkatze hatte ihr verziehen und rieb sich jetzt an der zarten Haut ihrer Kniebeuge, wobei sie die ganze Zeit über schnurrte.

»Der Pelz ist toll. Als ob ich von tausend winzigen Zungen geleckt würde. Oder als ob mich unzählige Fingerspitzen betasten würden, die jede Stelle meines Körpers erforschen.«

Eine Pause entstand. Als der Mann wieder etwas sagte, klang seine Stimme härter. Jades Herz schlug schneller. Die Gefahr, die sie gespürt hatte, kam näher.

»Du bist unachtsam«, sagte er. »Ich dachte, du hättest ein Gewissen, aber du hast keine Moral. Dir ist es egal, wie viele Prinzipien du opfern musst, wenn du nur dein schmutziges, kleines Verlangen befriedigst.«

»Ja, ich bin verdorben«, stimmte sie ihm zu. »Was willst du dagegen tun?«

»Weißt du, was ich täte, wenn ich bei dir wäre?«

»Ja, bitte. Sag es mir.«

Er antwortete nicht sofort. Jade spreizte die Schenkel. Die graue Perserkatze rieb immer noch ihren Kopf an ihrem Knie. Ihr buschiger Schweif glitt über Jades Schenkel. Es war ein köstliches, prickelndes Gefühl. Wenn sie sich die Beine nicht enthaart hätte, wäre ihr dieses Vergnügen entgangen.

»Ich würde dir eine Lektion erteilen«, sagte er schließlich langsam, »du gierige, kleine Nutte. Ich würde dich übers Knie legen und dir den festen, hochgereckten Arsch versohlen, bis er rosig glänzt. Irgendetwas sagt mir, dass dir das gefallen würde. Ich wette, es gibt nichts, was du nicht tun würdest.«

»Versuch es mal«, schnurrte Jade.

Er hatte Recht. Sie konnte in Fantasien schwelgen, die sie noch nie im Leben in Erwägung gezogen hatte. Spontan warf sie sich auf den Bauch und reckte ihren Hintern in die Luft. Milder Abendsonnenschein drang durchs Fenster und ließ ihre Hinterbacken rosig aufleuchten. Es war so einfach, sich vorzustellen, dass ihr strenger Liebhaber sie fest in der Hand hatte. Der Unterschied war nur, dass es hier keine Schmerzen und kein Risiko gab. Nur sinnliche, goldene Lust.

»Wie besorgst du es dir selber?«, fragte der Mann.

»Ich habe einen lebensechten Dildo, aber noch habe ich ihn nicht eingeschaltet. Das spare ich mir noch auf.«

»Wie lebensecht?«

»Na ja, er ist einundzwanzig Zentimeter lang und dick. Und die Spitze ist geformt wie eine echte Eichel. Manchmal fahre ich mit der Zunge darum herum, bevor ich ihn mir hineinschiebe.«

Jade schaltete den Vibrator ein, und er begann zu brummen. Langsam ließ sie ihn an ihren Schamlippen entlanggleiten. In dieser Stellung hatte sie noch nie zuvor masturbiert, aber es kam ihr so vor, als ob die Vibrationen tiefer als sonst in ihren Körper eindrangen.

»Spiel deine Spielchen, kleines Mädchen«, lachte die Stimme. »Spiel mit deinen Spielzeugen, wenn du für einen richtigen Mann noch nicht bereit bist. Was auch immer du da in der Hand hast, es ist mit meinem Schwanz nicht zu vergleichen. Den kannst du nicht einfach nach Belieben an- oder ausschalten. Er ist schon wieder hart, so hart. Kannst du dir vorstellen, was er mit dir machen würde?«

Jade seufzte und rieb ihre Brüste am Fell. Das Kätzchen von nebenan schien weg zu sein, aber die Perserkatze hatte es sich zwischen ihrem Bauch und dem Mantel gemütlich gemacht. Sie schnurrte die ganze Zeit, als ob ein Teil des Pelzes lebendig geworden wäre.

»Was würde dein Schwanz mit mir machen?«, flüsterte Jade.

»Ich würde dich gern in den Arsch ficken. Ich liebe enge, jungfräuliche Ärsche. Bist du dort noch Jungfrau? Fändest du es erniedrigend, etwas so Schmutziges mit einem Mann zu tun, den du noch nicht einmal kennst? Nun, du hättest es verdient. Ich würde dich lehren, nicht mehr so egoistisch und dekadent zu sein und Spielchen zu spielen, die du nicht zu Ende bringst.«

Jade schraubte erneut die Flasche mit der Massagelotion auf. Grinsend fragte sie sich, was der Hersteller wohl denken würde, wenn er von der momentanen Verwendung wüsste.

Liebevoll bestrich sie ihren summenden Dildo mit der Lotion. Dann nahm sie ihre kauernde Stellung wieder ein. Er hatte Recht: Sie war noch nie in den Arsch gevögelt worden. Vorsichtig drückte sie die vibrierende Spitze des Dildos gegen ihre Rosette und führte ihn langsam ein.

»Stell es dir vor«, hauchte sie. »Stell dir vor, du stößt ihn hinein. Ich stelle es mir auch vor.«

Der Dildo glitt hinein. Millimeter um Millimeter überwand er ihren natürlichen Widerstand. Es war zutiefst befriedigend.

»Hast du deine Lektion schon gelernt?«, fragte er. »Fühlst du dich so schmutzig, dass du es nicht aushältst?«

»Noch nicht«, flüsterte sie, ließ den Dildo los und spielte

mit ihrer Klitoris. »Du musst noch einmal hineinstoßen. Tiefer, bis ich dich anflehe aufzuhören.«

»Das wird aber lange dauern, oder? Du bist so verdorben, dass ich lange brauchen werde, um dich zu erniedrigen.«

Bei dem Gedanken daran stöhnte Jade laut auf. Es war so verführerisch, es herauszufinden, einen echten Schwanz aus Fleisch und Blut in sich zu spüren statt eines Dildos. Was würde wohl geschehen, wenn sie ihm einfach ihre Adresse sagte und dann auflegte? Aber eigentlich wollte sie diese kostbare Fantasie nicht opfern.

»Stellst du dir vor, wie eng mein Arschloch sich um deinen Schwanz schließt?«, flüsterte sie. »Wie du so tief hineinstößt, dass deine Eier gegen meine Arschbacken klatschen? Bist du so tief in mir?«

Er antwortete nicht, und sie hörte sein rasches Atmen, als ob sein Orgasmus kurz bevorstünde. Sie sah ihn vor sich, wie er heftig wichste, den Kopf voller Bilder von ihr. Der mutwillige Gedanke durchzuckte sie, dass sie einfach auflegen könnte. Sie hatte wirklich viel Macht.

»Bist du gleich so weit?«, murmelte sie.

»Ja.«

Auch Jade stand kurz vor dem Höhepunkt. Ihr Mittelfinger rieb über die harte Knospe ihrer Klitoris, ganz leicht nur, mehr brauchte sie nicht.

Von allen Seiten wurde sie stimuliert: der weiche, üppige Pelz; der summende Vibrator in ihrem Arsch; ihre Fingerspitzen, die geschickt um die Klitoris kreisten. Wer sonst kannte ihren Körper so intim, dass er ihm so viel Lust bereiten konnte?

Sie zögerte den Orgasmus so lange hinaus, bis es beinahe wehtat. Und dann, genau rechtzeitig, gab sie nach, und die Wellen schlugen über ihr zusammen.

»Ich lege jetzt auf«, flüsterte sie. »Ich hatte meinen Spaß.«

»Nein! Das darfst du nicht!«

Jade rollte sich wieder auf den Rücken, den Hörer hielt sie noch ans Ohr gepresst. Sie hörte sein keuchendes Atmen und stellte sich vor, wie er seinen Schwanz hektisch rieb, um zum Höhepunkt zu kommen, bevor sie ihre Drohung wahr machte.

Und dann hörte sie, wie er scharf die Luft einzog und tief und gequält aufstöhnte. Er war gekommen.

»Bist du noch da?«, keuchte er kurz darauf.

»Ja.«

Die Perserkatze hatte sich schnurrend auf ihrem Bauch zusammengerollt und streckte sich sinnlich. Sie war von allen Seiten in Fell eingehüllt. Und auch die letzten Sonnenstrahlen glitten liebkosend über ihren Körper.

»Das war toll«, sagte er. »Wir sollten es mal in echt machen.«

Jade lächelte.

»Überlass es mir«, erwiderte sie und legte auf.

Sie hatte es in der Hand. Sie wusste ja, wo sie ihn erreichen konnte. Sie kannte seine Telefonnummer, aber er nicht ihre. Und dann war da noch der Trick, die Rufnummeranzeige zu unterdrücken. Manchmal war das ganz schön nützlich.

Belohnungen

Die Fahrt in dem ratternden Aufzug ließ Janines Herz immer heftig schlagen. Je höher sie kam, desto schneller raste ihr Puls, und ihre Nerven waren zum Zerreißen gespannt. Es lag nicht am Lift, so antiquiert er auch sein mochte; es war der Gedanke daran, wohin dieser klapprige Metallkasten sie brachte, zu dem berühmten Mann, den sie besser nicht ablenken sollte. Jedes Mal, wenn sie hierher kam, schwor sie sich, dass es das letzte Mal wäre, weil sie doch ganz bestimmt eine langweilige Zumutung für ihn war. Aber trotzdem kam sie immer wieder, weil er sie immer wieder einlud, und wenn dahinter ein geheimer Zweck steckte, dann hatte sie ihn noch nicht entdeckt.

Es war reines Glück gewesen, dass sie ihn überhaupt kennen gelernt hatte. Er war Dominic Forsayeth, der bekannte Künstler und Illustrator, und sie war Janine Gedrick, eine schüchterne, nervöse Kleckserin, deren Zeichnungen zwar handwerklich nicht schlecht waren, aber ungeheuer uninspiriert. Und im Grunde hatten sie sich kennen gelernt, weil sie ihr Herz in beide Hände genommen und sich einfach an ihn herangemacht hatte.

Sie hatte sich in der örtlichen Kunstgalerie umgeschaut, und dabei war ihr ein großer, schlanker Mann in einem langen, dunklen Mantel am anderen Ende des Skulpturensaals aufgefallen. Sie hatte ihn natürlich an seinem guten Aussehen sofort erkannt. Die Tatsache, dass er sich schwer auf einen Spazierstock stützte, hatte alles noch bestätigt. Die Zeitungen hatten vor einigen Monaten berichtet, dass Forsayeth einen Unfall gehabt habe, und dort hatte sie auch zum ersten Mal sein Gesicht gesehen. Ein gut aussehendes, kantiges Gesicht, das von einer wilden, braunen Lockenmähne eingerahmt war.

Sie hatte sich nicht zurückhalten können, war auf ihn zugeeilt und hatte ihn angesprochen. Sie war zwar für gewöhnlich schüchtern und ängstlich, aber zu ihrer Überraschung überwand sie dies zum ersten Mal. Ihn hingegen erschreckte ihr Verhalten offensichtlich.

Da er nur wenig auf ihren Redeschwall geantwortet hatte, hatte sie geglaubt, die einzige Chance ihres Lebens vertan zu haben, aber bei ihrer gestammelten Verabschiedung von ihm hatte er ihr seine Visitenkarte gegeben.

Da sie nun seine Adresse hatte, hatte sie ihm einen Fanbrief geschrieben, einen langen, glühenden Erguss. Rückblickend hatte sie es bereut, ihn überhaupt abgeschickt zu haben. Als seine Antwort gekommen war, war ihr beinahe übel geworden bei der Aussicht, ihn wiederzusehen, nachdem sie sich so lächerlich gemacht hatte.

Aber der Kunstunterricht, den er ihr gab, hatte sie in den siebten Himmel versetzt. Für Janine war Forsayeth ein Gott.

»Und was hast du mir heute zu zeigen?«, fragte der Gott, als die Lifttüren aufgingen und Janine in das lang gestreckte Loft trat, in dem Dominic Forsayeth wohnte und arbeitete.

Errötend zupfte Janine an ihrem Mantel und ihrer Mappe herum. Sie hatte in dieser Woche lediglich ein Pastellstillleben von einer Schüssel mit Äpfeln und Pfirsichen zustande gebracht, und sie war so beschäftigt gewesen, dass es nicht besonders gut geworden war.

Forsayeth blickte ihr über die Schulter, als sie ihre Mappe auf seinen Arbeitstisch legte und ihr Bild herausholte.

»Wir sind nicht gerade abenteuerlustig, was?«, murmelte er.

Janine begann zu schwitzen. Sie zitterte und floss an den intimsten Stellen beinahe davon. Obwohl er hinter ihr stand und sie ihn nicht sehen konnte, hatte sie sein Bild ständig vor Augen. Statt der Früchte auf dem Papier sah sie Forsayeth selbst, groß und bedrohlich in seinen schwarzen Jeans, dem schneeweißen Seidenhemd und der grauen Brokatweste. Er stützte sich schwer auf seinen Stock, strahlte aber trotzdem ruhige Strenge und Dominanz aus.

»Es tut mir Leid«, flüsterte sie und sog den Duft seines Rasierwassers ein. »Ich hatte diese Woche nicht viel Zeit.«

»Wenn du jemals gut sein willst, dann musst du dir die Zeit nehmen«, erwiderte er, und sie hätte schwören können, dass er näher getreten war, da sein Atem sie am Ohr kitzelte. Wie war das möglich? Sie hatte nicht die kleinste Bewegung vernommen.

»Obwohl«, fuhr er in milderem Ton fort, »ich sehe hier eine hübsche Rundung an dem Pfirsich rechts.« Mit dem freien Arm griff er um sie herum und zeigte auf das Blatt Papier.

»Danke!«, stammelte sie, blickte auf seine langen Finger und stellte sich vor, wie sie sie berührten, wie sie an ihren Rundungen entlangglitten, ihr Hinterteil umfassten und ihr vielleicht einen kleinen Klaps versetzten.

Oh nein, nicht schon wieder diese Gedanken!

Seit ihrem letzten Besuch hatten Janine einige sehr seltsame Vorstellungen geplagt, nachdem er ihr einige seiner Arbeiten in einem edlen, aber sehr gewagten Magazin gezeigt hatte.

Es war eine künstlerisch äußerst wertvolle Hochglanzzeitschrift gewesen, aber die Thematik – durchweg von Forsayeth allein illustriert – war körperliche Züchtigung junger Frauen zum Zweck sexueller Lust gewesen. Janine wusste zwar, dass es Menschen mit solchen Vorlieben gab, aber sie hatte noch nie ein solches Heft gesehen. Und sie hatte auch noch nie Zeichnungen gesehen, auf denen Männer hübschen Mädchen das Hinterteil versohlten.

»Siehst du, du kannst es eigentlich«, fuhr Forsayeth fort und lenkte ihre Aufmerksamkeit wieder auf ihre Zeichnung. »Du brauchst nur eine entsprechende Belohnung.«

Janine verspürte das Bedürfnis, sich umzudrehen und ihn anzublicken, aber sie traute sich nicht. Etwas in seiner Stimme – etwas Dunkles, Samtiges – brachte sie auf den Gedanken, dass auch er an das Hochglanzmagazin dachte. Vielleicht wollte er mit seiner Bemerkung ja andeuten, dass ein ordentlicher Klaps auf ihr Hinterteil für sie die geeignete Belohnung sein könnte.

Wie zur Bestätigung ihrer irrwitzigen Vorstellungen streifte Forsayeths Hand ihren Hintern. Sie schien bis auf ihr dünnes Seidenhöschen zu brennen.

»Komm«, sagte er. »Wir wollen uns an die Arbeit machen. Ohne Übung wirst du nie besser werden. Und ich muss zeichnen, damit ich etwas zu essen habe.«

»Sie wollen arbeiten?«, stotterte sie. Es war das erste Mal, dass er in ihrer Gegenwart zeichnen wollte.

»Natürlich«, erwiderte er und ging durch den Raum zu seiner Staffelei.

Janine blickte ihm misstrauisch hinterher. Sie war sich fast sicher, dass er gar nicht arbeiten musste. Dahinter steckte doch sicher etwas anderes. Es hatte bestimmt etwas mit der flüchtigen Intimität von eben, mit seinen Fingern an ihrem Hintern, zu tun. Sie mochte sich das vielleicht nur einbilden, aber im Herzen spürte sie, dass sich die Dinge geändert hatten.

Eine Zeit lang arbeiteten sie schweigend. Forsayeth saß elegant auf seinem hohen Hocker und konzentrierte sich auf eine Tuschezeichnung, die sie von ihrem Platz aus nicht erkennen konnte. Sie hingegen beugte sich über ihr Zeichenbrett, um eine Figur zu Papier zu bringen, die auf dem Esstisch stand.

Es gelang ihr nicht.

Vielleicht lag es daran, dass Forsayeth selber malte? Sein Werk ließ ihre Anstrengungen jämmerlich aussehen.

Vielleicht lag es aber auch an der seltsam aufgeladenen Atmosphäre zwischen ihnen. Es lag etwas Bedrohliches in der Luft, was jedoch auch eine lustvolle Qualität hatte. Heute war sie für ihn mehr als nur eine kleine Schülerin, das spürte sie. Sie war wichtig für ihn, und sie glaubte auch zu wissen warum, hatte jedoch Angst, das Thema anzuschneiden, falls sie sich irrte.

Nachdenklich betrachtete sie sich in dem Spiegel, der auf einer Ecke des Tisches stand. Was für eine Anziehungskraft mochte sie, Janine, für ihn besitzen? Sie war schüchtern, nervös, eine graue Maus; mäßig hübsch, aber nicht besonders aufsehenerregend. Ihre Figur war gewöhnlich, und ihr Hintern war eher zu groß.

Schon wieder! Hatte sie unbewusst während der ganzen Zeit über ihr Hinterteil nachgedacht, seit Forsayeth ihr die Zeitschrift gezeigt hatte? Anscheinend ja. Und offensichtlich war sie auch geradezu besessen davon. Unwillkürlich zeichnete sie den Hintern der Figur größer.

»Was ist das denn?«, fragte Forsayeth, als sie Pause machten.

Sie blickten beide nach unten: Forsayeth auf Janines Bleistiftzeichnung, und Janine auf seine Knöchel, die weiß hervortraten, so fest umklammerte er seinen Stock. Die Luft zwischen ihnen schien zu knistern. Oder lag das an Forsayeths Erregung?

»Ich weiß nicht«, erwiderte sie, wobei sie sich bemühte, reumütig zu klingen. Es gelang ihr jedoch nicht, weil auch sie auf einmal so erregt war. »Ich konnte mich nicht konzentrieren. Ich weiß nicht warum. Vielleicht brauche ich ja eine Belohnung, damit ich es wirklich versuche.«

Den letzten Satz sprudelte sie ohne jede Überlegung hervor, und zu ihrem Entsetzen merkte sie, dass sie fast genau seine Worte gewählt hatte.

Ein langes Schweigen trat ein. Janines Haut schien vor Hitze zu prickeln. Sie spürte, wie sich auf ihrem gesamten Körper Röte ausbreitete und wie die Wärme ihre Brüste und ihre Hinterbacken anschwellen ließ.

Reglos stand sie da und wagte es nicht, Forsayeth anzublicken.

»Ja, vielleicht ist das tatsächlich der Fall«, sagte er

nachdenklich. Dann ergriff er leise lachend ihre Hand und humpelte mit ihr zu seiner eigenen Staffelei. »Wie wäre es mit etwas in dieser Art?«, schlug er vor und legte seinen Stock auf den Hocker. Beide betrachteten sie, was er gezeichnet hatte. »Glaubst du, dass dich so etwas motivieren könnte?«

Das bin ja ich, dachte Janine. Ihr Mund war auf einmal ganz trocken, und ihr wurde immer heißer. Und die andere Person ist er, stellte sie verwundert fest.

Die Frau mit den kurzen, blond gesträhnten Haaren, dem einfachen Baumwollkleid und dem runden Hinterteil war ganz offensichtlich sie, aber Forsayeth hatte sie weitaus attraktiver dargestellt, als sie sich selber sah, und ihr eine sinnliche Schönheit verliehen, die sie in Wirklichkeit gar nicht besaß. Besondere Aufmerksamkeit hatte er ihren Hinterbacken gewidmet, was allerdings kaum überraschte, da sie über einen Tisch gebeugt war und sich flehend nach der Gestalt, die hinter ihr stand, umdrehte. Es war ein großer Mann, der den Arm dramatisch erhoben hatte, bereit, ein dünnes, schwarzes Stöckchen auf den nackten Hintern des Opfers niedersausen zu lassen.

Was für hübsche Rundungen, hätte sie beinahe gesagt, erstaunt darüber, wie »lebensecht« Forsayeth ihr bloßes Hinterteil gelungen war. Sie war sich absolut sicher, dass ihre wahre Anatomie keineswegs so glatt und verführerisch üppig war wie auf der Zeichnung. Und sie wies auch keine deutlich sichtbaren dunklen Striemen auf.

Jedenfalls noch nicht.

»Nun?«, drängte er, aber Janine hatte es noch die Sprache verschlagen. Sie hatte ihre Aufmerksamkeit der männlichen Gestalt zugewandt, Forsayeths Selbstporträt, was unschwer an seinen gemeißelten Gesichtszügen und seiner üppigen Lockenmähne zu erkennen war. Auf der Zeichnung jedoch war er nicht lahm: Der schwarze Stock diente einem völlig anderen Zweck.

»J… ja«, stammelte sie und blickte auf den echten Stock, der auf dem Hocker lag. Unwillkürlich begann sie zu schwanken und zu zittern.

Forsayeth war wohl ihrem Blick gefolgt, denn er legte ihr sanft die Hand auf die Schulter und sagte:

»Keine Sorge, meine Süße. Dieser Stock dient mir nur als Gehhilfe. Ich fantasiere vielleicht darüber, deinen reizenden Allerwertesten damit zu verprügeln, aber ich würde dich damit nur verletzen, weil er zu starr ist.« Er drehte sie zu sich herum und hielt seine Hand hoch. »Wir werden beide feststellen, dass dies alles ist, was wir brauchen.«

Wie in einem Traum gefangen, ließ sich Janine zu dem Ledersessel führen, in dem Forsayeth für gewöhnlich saß und las, während sie zeichnete. Sie merkte nur zum Teil, was mit ihr geschah, denn ihr gingen die ganze Zeit über die Worte »meine Süße« und »dein reizender Allerwertester« durch den Kopf. Vorher war er immer höflich und ziemlich distanziert gewesen, deshalb trafen sie sein warmer Tonfall und seine zärtlichen Worte besonders unerwartet.

Dass er sich jedoch in seinem Lehnsessel niederließ und einladend auf seine Knie klopfte, war nicht unerwartet. Janine hatte jetzt bereits seit einer ganzen Weile damit gerechnet, zunächst unbewusst und dann mit all ihren Sinnen.

Sie blickte auf seine starken, geraden Schenkel in der

schwarzen Jeans. Zögernd trat sie auf ihn zu, legte sich dann jedoch instinktiv in der richtigen Haltung darüber.

»Gut, das ist sehr gut«, lobte Forsayeth sie, aber als sie nach hinten griff, um ihren Rock hochzuheben, sagte er: »Mach dir darüber keine Gedanken. Von jetzt an kümmere ich mich um alles.« Gehorsam ließ Janine ihre Hände sinken und lag entspannt auf seinem Schoß.

»Ja, so ist es richtig«, fuhr er fort und streichelte über den Stoff ihres Kleides. »Sehr hübsch.« Seine Stimme klang nachdenklich und verträumt, als ob auch er nicht ganz bei sich wäre.

Blitzschnell hatte er ihr Hinterteil entblößt. Seine Bewegungen waren rasch und entschlossen, auch bei ihren Strümpfen, was darauf schließen ließ, dass er häufiger ein Mädchen auf dem Schoß liegen hatte.

Es war Janine peinlich, dass er ihren nackten Hintern sehen konnte. Er schien ihn eine Ewigkeit lang zu studieren, und sie hoffte wider besseres Wissen, dass er mit dem Bild konkurrieren könne. Ihr Herz machte einen Satz, als er hauchte: »Exquisit!«

Er begann ihn zu streicheln und zu untersuchen. Seine Finger waren trocken und kühl an ihrer Haut, und sie erbebte, als sie in ihre Spalte glitten. Als er beiläufig gegen ihren Anus drückte, stöhnte und keuchte sie.

»Du kannst immer noch einen Rückzieher machen«, erklärte er gleichmütig. Janine war überrascht. Einen Rückzieher machen? Oh nein! Niemals!

Wenn sie jetzt aufstünde, käme die Chance nie wieder. Und außerdem redete er nicht nur von der Tracht Prügel. Er meinte auch den Kunstunterricht und alles. Vielleicht würde sie Dominic Forsayeth dann nie wiedersehen.

»Ich will keinen Rückzieher machen«, informierte sie ihn mit fester Stimme, obwohl sie innerlich vor Angst bebte.

»Braves Mädchen!«, erwiderte er und versetzte ihr einen Schlag auf den Hintern.

Oh Gott, wie weh das tat! Wie es brannte und stach!

Janine hatte keine Vorstellung gehabt, was sie erwartete, aber die Kraft, die hinter dem Schlag steckte, war ein Schock für sie. Prickelnde Hitze schien sich von der Stelle auszubreiten. Genau in diesem Moment schlug er ein weiteres Mal zu, und dieselbe Reaktion stellte sich ein. Janine hörte ein schreckliches Aufheulen und stellte zu ihrem äußersten Entsetzen fest, dass es von ihr kam. Bei den nächsten Schlägen biss sie sich auf die Lippe, um ihre Schwäche vor ihm zu verbergen.

»Es ist ganz in Ordnung, wenn du einen Laut von dir gibst, Janine«, sagte Forsayeth freundlich und versetzte ihr einen festen Schlag auf die Stelle, wo die Pobacke in den Oberschenkel überging. »Schrei ruhig laut auf, wenn es wehtut. Das ist viel besser.«

Besser für wen, dachte Janine, die gerne härter im Nehmen gewesen wäre, aber wie ein Kind heulte, während er ihr den Hintern versohlte. Natürlich tat es weh! Merkte er das denn nicht? Seine Handfläche musste doch mittlerweile ebenfalls brennen!

Immer weiter bearbeitete er ihre Hinterbacken, und auf einmal trat ein seltsames Phänomen ein. Ihr Hinterteil schien in Flammen zu stehen, und sie wand sich und rieb ihre Hüften an Forsayeths Schenkeln. Zwar schmerzte immer noch jeder Schlag, aber wenn jemand sie gefragt hätte, wie sie sich fühlte, hätte sie gejubelt: »Glücklich!«

Sie war dem Mann, in den sie sich verliebt hatte, näher, als sie jemals zu hoffen gewagt hatte, und irgendwie war es ihr gelungen, seine Aufmerksamkeit zu wecken. Er berührte sie sogar, und obwohl es schmerzte, empfand sie doch auch köstliche Lust. Zwischen ihren Beinen war sie so heiß wie auf ihrem Hintern, und wenn es so weiterging, würde sie gleich überkochen. Der Gott, den sie anbetete, würde sie zum Höhepunkt bringen.

»Und, Janine«, fragte Forsayeth auf einmal und drückte sie ein wenig nach vorne, damit er sie herzhaft zwischen die Schenkel schlagen konnte, »glaubst du, dass du dir danach mehr Mühe geben wirst?« Irgendwie war der Schmerz an dieser neuen und jungfräulichen Stelle sogar heftiger, und er schlug noch einmal fester zu, weil er wohl bemerkte, wie sie zusammenzuckte.

»Janine?«, fragte er noch einmal nach. Seine tiefe Stimme klang sanft wie die eines Liebhabers. Die Frage wurde vom festesten Schlag bisher begleitet.

Und das war der Auslöser.

»Ja! Oh ja, ja, ja!«, schrie Janine. Sie wand sich wie ein Welpe, als ihr Orgasmus sie überwältigte. Für den Bruchteil einer Sekunde vergaß sie sogar, dass Forsayeth da war, aber dann wäre sie am liebsten zu Boden gesunken und hätte ihm die Füße geküsst.

Stattdessen lag sie keuchend über seinen Knien.

Schließlich merkte sie, dass ihre Bestrafung vorüber war und dass sie die Wirkung ihrer »Belohnung« aufs Heftigste spürte.

Ihr Hinterteil schien auf den doppelten Umfang angeschwollen zu sein, und auch ihre Schenkel pochten. Ein Eimer mit kaltem Wasser wäre jetzt himmlisch.

Aber in dieses Brennen und den Schmerz mischte sich die köstlichste, umfassendste Befriedigung, das Gefühl einer Erlösung, das sie selbst bei ihren erfolgreichsten sexuellen Begegnungen nicht empfunden hatte. Sie hatte gar nicht gewusst, dass es überhaupt möglich war.

Oh Mann, ich muss pervers sein, dachte sie grinsend und fragte sich, ob sie es wagen sollte, von Forsayeths Knien zu rutschen und vor ihm zu knien, um ihm zu danken.

Aber gerade als sie diesen Gedanken in die Tat umsetzen wollte, fiel ihr etwas anderes auf, das sie zum Lächeln brachte. Behindert von ihren heruntergerollten Strümpfen, ließ sie sich auf die Knie sinken und blickte ihrem geliebten Mentor kühn in die Augen. Und da fragte sie sich, warum sie noch nie gemerkt hatte, wie blau sie waren.

Das liegt daran, dass sie noch nie so blau waren, dachte sie glücklich und fühlte sich wagemutiger denn je. Forsayeths azurblaue Augen waren fast ebenso feurig wie ihr Hintern.

»Ich merke, dass ich noch viel lernen muss, Mr. Forsayeth«, setzte sie zu einer spontanen Rede an, deren Worte ihr ganz selbstverständlich in den Sinn kamen. »Es wird harte Arbeit für Sie sein, mich weiter zu unterrichten. Aber ich bin sehr willig, und ich glaube, ich werde gute Fortschritte machen.« Sie schwieg und konnte sich ein Lächeln nicht verkneifen, zumal er sie breit angrinste. »Ich habe mich gerade gefragt, ob ich Ihnen vielleicht eine Belohnung anbieten könnte? Etwas, um mich dafür zu bedanken, dass Sie sich mit mir so viel Mühe geben?«

»Nun, zunächst einmal, mein Name ist Dominic«, erwiderte er zärtlich. Dann beugte er sich vor und drückte einen keuschen Kuss auf ihre Stirn. »Und ich bin sicher, dass uns etwas einfällt, was uns beiden Freude bereitet.«

Sie lachten beide, als sie die Hand ausstreckte und seinen Reißverschluss aufzog.

Heißer Wahnsinn

Nichts ist einsamer, dachte Mel, als ein Bahnhof mitten in der Nacht. Auch in der kürzesten Nacht des Jahres, kurz nach Mitternacht und wenige Stunden vor Sonnenaufgang. Sie zog die Schulter hoch, damit ihre Tasche nicht herunterrutschte, und blickte den leeren Bahnsteig entlang zu dem schwarzen Loch des Tunnels, in dem die Gleise verschwanden.

Ihr war kalt. Da sie für den Sommer in China, ihrem Reiseziel, gekleidet war, trug sie nur eine leichte Jacke über einer lose fallenden Bluse und einem bunt bedruckten Baumwollrock. Für die Bahnhofshalle aus Eisen und Beton war diese Kleidung nicht geeignet, aber sie wollte ihren Koffer nicht stehen lassen und herumlaufen, damit ihr warm wurde, wollte das grüne Hartschalenungetüm jedoch auch nicht mit quietschenden Reifen hinter sich herziehen. Und in die drückende Wärme des Wartesaals wollte sie erst recht nicht. Als sie das letzte Mal einen Blick hineingeworfen hatte, hielten sich dort nur zwei betrunken aussehende Kerle auf, die sich heftig darüber stritten, welche Bar in der Stadt die beste zum Aufreißen sei. Also fror sie lieber, bis der Expresszug auftauchte, der sie nach Manchester zum Flughafen bringen sollte.

Sie beobachtete, wie auf einem anderen Bahnsteig Reisende in einen Zug stiegen. Wahrscheinlich waren sie aus gewesen und fuhren jetzt nach Hause. Mel beneidete sie ein wenig. Sie brauchten nicht um die halbe Welt zu reisen, um ihre Liebsten zu sehen. Sie hatten ein warmes Bett für die Nacht, lachten und unterhielten sich und hatten viel zu viel getrunken, um die Kühle zu empfinden.

Ihr abgelegener Bahnsteig war fast leer, abgesehen von ein paar zusammengesunkenen Gestalten auf den Bänken. Das Betongewölbe war dunkel und schmutzig, und es roch nach Diesel. Bahnbeamte waren keine zu sehen, die Kioske waren mit Eisengittern versperrt und die Toiletten wegen Vandalismus verschlossen. Mel ging durch den Kopf, dass Frauen immer eingeschärft wurde, solche Orte zu meiden, und wenn es kein Bahnhof gewesen wäre, hätte auch nichts sie dazu bringen können, sich mitten in der Nacht alleine und zu dünn gekleidet hier aufzuhalten.

Sie war ein bisschen nervös. Das lag an der Reise, die ihr bevorstand, weil sie stets fürchtete, irgendwo den Anschluss zu verpassen. Sie war auf Routine und eine gut organisierte Umgebung angewiesen. Ihr Schreibtisch im Büro war immer aufgeräumt, und das Foto von Steve war so positioniert, dass er ihr beim Arbeiten zuschauen konnte. Sie war immer pünktlich und gut vorbereitet, und deshalb war sie auch jetzt viel zu früh. Seufzend blickte Mel auf ihre Armbanduhr: Sie sagte ihr genau dieselbe Zeit wie die alte viktorianische Uhr am Bahnsteig und die Digitalanzeige auf dem Bildschirm, der oben angebracht war. Ihr Zug kam erst in fünfundzwanzig Minuten.

Ihr war kalt, und sie war nervös. Und geil, wie sie zugeben musste. So reagierte sie immer, wenn sie an ruhigen Orten warten musste. Schon die Bibliothek auf dem College hatte die wildesten Fantasien bei ihr hervorgerufen. Es hatte wohl etwas damit zu tun, dass man sich in einer solchen Umgebung, in der auch andere Leute waren, zusammennehmen musste. Mel kniff die Oberschenkel zusammen und dachte an Steve. Nach all diesen Monaten voller Frustration und hastiger, teurer, sentimentaler Telefonanrufe war sie nur noch einen Tag davon entfernt, ihn endlich wiederzusehen. In Xian würde es heiß und feucht sein. Sie stellte sich vor, wie sie unter dem Moskitonetz lagen, schweißbedeckt und ermattet vor Befriedigung, ihr Kopf an seiner Schulter, ihre Hand um seinen erigierten Schwanz. Sie konnte es kaum erwarten. Allein der Gedanke daran ließ ihr Geschlecht zerfließen.

Wenn sie weiter diesen Tagträumen nachhing, warnte sie sich, würde sie durchdrehen, noch bevor sie China erreicht hätte.

Erneut blickte sie auf die grüne Leuchtanzeige, aber es hatte sich nichts geändert. Der Zug zum Flughafen verkehrte regelmäßig wie ein Uhrwerk zwischen hier und Manchester und hielt auf der Strecke nicht an. Zum vierten oder fünften Mal betrachtete sie die Plakate auf dem Bahnsteig und las sogar die Anzeigetafel durch. Fünfundzwanzig Minuten waren noch eine Ewigkeit, dachte sie verzweifelt. Sie drehte ihrem Koffer den Rücken zu und ging um eine Säule herum, wo sie ein Plakat für die Royal Armouries fand, das sie minutenlang studierte. Daneben hing ein Plakat der städtischen Kunstgalerie, ein riesiges, abstraktes Gemälde aus lauter winzigen Punkten. Irgendein moderner Maler. Mel fand, es sah aus wie eins dieser 3-D-Bilder, die man nur erkennen konnte, wenn man aus genau der richtigen Entfernung konzentriert hinschaute.

Sie war gut darin. Wenn sie sich anstrengte, wurde sogar die gepunktete Tapete in ihrem Schlafzimmer zu Hause dreidimensional. Müßig trat sie ein paar Schritte zurück und starrte in die Tiefen des Plakats.

Zu ihrer Überraschung war es ganz einfach. Innerhalb weniger Sekunden sah sie die Umrisse eines Baumes, unter dem eine nackte Frau lag.

Mel zog die Augenbrauen hoch. Das war nicht das übliche, flache, gesichtslose Bild. Sie sah deutlich das laszive Lächeln auf dem Gesicht der Frau, die volle Rundung ihrer Brüste, sogar die kleinen Haarlöckchen an ihrer Scham. Jedes Detail war perfekt herausgearbeitet. Nur die Farbe stimmte nicht, da Frau, Baum und Landschaft alle im gleichen Farbton gehalten waren. Das Bild war unglaublich gut gemalt.

Dann glitt der Arm eines Mannes an Mel vorbei in das Bild hinein und liebkoste die linke Brust der Nymphe. Sanft rollte er den aufgerichteten Nippel zwischen Daumen und Zeigefinger, bevor er ihn losließ und nach einer Frucht griff. Er brach sie ab, zog sie aus dem Plakat heraus und ließ sie in Mels Hand fallen.

Einen Moment lang stand sie wie erstarrt da. Sie versuchte den Mann anzublicken, sah flüchtig dunkle Züge und strahlend weiße Zähne. Verwirrt betrachtete sie den warmen, samtigen Pfirsich, den sie in der Hand hielt. Er hatte immer noch den gleichen Farbton wie auf dem Plakat, aber er war real und lag schwer in ihrer Hand. Neben dem Stiel war ein kleines Loch, aus dem ein Insekt herauskroch, große, metallische Schmetterlingsflügel, glitzernd grün und blau, ausbreitete und über die Eisenverzierungen des viktorianischen Dachs davonflog.

Mel ließ die Frucht fallen und blickte sich nach dem Mann um, der hinter ihr gestanden hatte, aber es war niemand da. Einen Moment lang hing ein Duft nach Nelken in der Luft. Auch der Pfirsich war verschwunden, auf dem Betonboden war noch nicht einmal ein Fleck zu sehen. Sie war allein auf dem Bahnsteig. Ich bin verrückt, dachte sie. Das ist alles nicht passiert.

Dann fuhr der Zug ein und kam quietschend und ächzend zum Stehen. Niemand stieg aus, und Mel hatte auch keine Ankündigung aus dem Lautsprecher gehört. Sie blickte zur Uhr. Sie zeigte die halbe Stunde an, ebenso wie ihre Armbanduhr. Mit wachsender Verwirrung sah sie sich um. Der Zug war pünktlich, und sie hatte irgendwo zwanzig Minuten verloren.

Sie hatte jedoch keine Zeit, sich darüber zu wundern, sondern ergriff ihren Koffer und wuchtete ihn in den nächstgelegenen Waggon. Sie verstaute ihren schweren Koffer in der Ablage, und erst nachdem sie sich auf einem Platz niedergelassen hatte, blickte sie sich um. Sie saß am Fenster an einem Tisch. Auf der anderen Seite des Ganges saß eine Frau mittleren Alters und las in einem dicken Taschenbuch. Weitere Passagiere saßen verstreut in dem Großraumwagen, aber alle schwiegen, und die meisten dösten. Mel stellte erleichtert fest, dass sie den vom Bahnsteig abgewandten Fensterplatz gewählt hatte, sodass sie das Plakat der Kunstgalerie nicht sehen konnte. Es sollte alles wieder normal sein. Sie spürte immer noch die warme Form der Frucht in ihrer Handfläche. Zwischen den Gleisen huschten zwei Ratten entlang. Es waren auf jeden Fall Ratten, sagte sie sich, ganz gleich, wie sie aussehen mochten.

Eine der Ratten stellte sich auf die Hinterbeine, zeigte auf sie und begann zu lachen.

In diesem Moment setzte sich der Zug in Bewegung, und sie sah die Ratten nicht mehr. Statt sich nach ihnen umzuschauen, schloss sie einfach die Augen.

Als sie sie wieder öffnete, glitt der Zug beinahe geräuschlos an Höfen und halb verfallenen Industrieanlagen vorbei, an rußgeschwärzten Ziegelbauten und Fabriken mit leeren Fensterhöhlen. Der Morgen dämmerte noch nicht, aber der Himmel wurde schon langsam heller, und die Welt um sie herum war grau und undeutlich, eine Landschaft in Schattentönen. Auch ihr Gesicht spiegelte sich im Fenster wie ein blasser Geist. Mel gefiel der Anblick gar nicht. Sie sah teigig und viel zu dick aus und bei weitem nicht so jung, wie sie sein sollte. Würde Steve diese Vogelscheuche wirklich willkommen heißen?

Eine Vogelscheuche, die nicht mehr alle Tassen im Schrank hatte, dachte sie. Sie fuhr sich mit der Hand durch ihre blonden Locken. Das lag nur am Stress, sagte sie sich. Sie hatte zu viel gearbeitet und war zu lange allein gewesen. Seit sechs Monaten hatte ihr niemand mehr den Rücken geschrubbt, ganz zu schweigen von dem tröstlichen Gewicht eines Mannes zwischen ihren Schenkeln. Abstinenz konnte einen schon in den Wahnsinn treiben.

Seufzend holte sie eine Zeitschrift aus ihrer Schultertasche hervor und schlug sie auf. Ihre innere Uhr hatte aufgegeben, und sie konnte jetzt sowieso nicht schlafen. Lustlos begann sie zu lesen. Normalerweise kaufte sie sich diese Zeitschrift nicht, sie hatte sie bloß wegen der langen Fahrt mitgenommen.

Ein Inder setzte sich auf der anderen Seite vom Gang

auf einen Platz. Mel blickte kurz auf und wandte ihren Blick wieder der Zeitschrift zu. Die Buchstaben verschwammen vor ihren Augen, und sie wusste nicht, was sie las. Wieder blickte sie aus dem Fenster.

Der Zug fuhr über einen Viadukt in Höhe der Dachfirste, die eine graue, trübe Landschaft bildeten, mit Schluchten und Abhängen. Wer von hier stammte, musste fliegen oder gewaltige Abgründe überwinden können. Mel begann gerade, diese hübsche Fantasie zu genießen, als hinter einem Schornstein ein gewaltiger Hirsch seinen Kopf erhob und mit seinem Geweih an den Steinen entlangscheuerte. Im gleichen Augenblick war er schon wieder verschwunden.

Mel klopfte das Herz bis zum Hals. In der Scheibe sah sie ihr erschrecktes Gesicht. Von irgendwoher im Zug kroch etwas Dunkles, nicht Menschliches heran. Auf einmal roch es nach Nelken. Sie drehte sich um.

Der Mann auf der anderen Seite des Ganges lächelte sie an. Er war gar kein Inder, sondern sah eher so aus wie ein Piratenhauptmann aus einer Operette. Dunkle, lockige Haare, ein Kinnbärtchen, muskulöser, geschmeidiger Körperbau. Selbst das sorglose Grinsen passte dazu. Er war barfuß, wie man deutlich sah, weil er einen Fuß auf den Tisch vor sich gelegt hatte. Ein langärmliges, weißes T-Shirt saß wie eine zweite Haut, und seine schwarzen Leggings waren womöglich noch enger. Er wirkte wie ein Schauspieler in der Pause zwischen zwei Akten.

»Melanie«, sagte er. Die Augen unter seinen geschwungenen, schwarzen Augenbrauen waren überhaupt nicht dunkel, sondern eher honigfarben. Gelb, hätte sie gesagt, wenn es das gegeben hätte.

»Gehen Sie weg!«, flüsterte sie.

Er gab ein missbilligendes Geräusch von sich. »Das ist aber nicht sehr freundlich von dir. Ich hatte auf einen wärmeren Empfang gehofft.«

»Ich rufe den Schaffner.«

Er schüttelte leicht den Kopf. »Ich glaube nicht, dass dir das etwas nützen würde.« Langsam schälte er sich aus seinem Sitz, beugte sich über den Tisch zu der Frau, die in der Ecke saß und las und gab ihr einen leidenschaftlichen Zungenkuss. Dann setzte er sich wieder. Die Frau reagierte nicht. Sie wirkte nicht schockiert oder verängstigt, sondern schien seine Existenz einfach nicht wahrzunehmen. Raschelnd blätterte sie eine Seite um und las weiter. Der Mann grinste spöttisch.

Mel schlug das Herz bis zum Hals. »Ich weiß nicht, wer Sie sind oder was Sie tun«, sagte sie, »aber Sie müssen ...«

»Tatsächlich? Ich weiß aber, was du tust. Du hast einen Abschluss in Englisch.«

»Woher wissen Sie das?« Alarmiert blickte sie ihn an.

Er grinste freundlich. »Ich weiß vieles. Du kannst mich Robin nennen, wenn du willst.«

»Wenn ich will?«

»Wenn du lieber einen Namen wissen willst.«

»Oh, zum Teufel«, stöhnte sie. Ihr drehte sich der Kopf. »Solltest du nicht Flügel haben?«

Er zog die Augenbrauen hoch und setzte sich bequemer hin, wobei seine schwarzen Leggings sich um seine muskulösen Schenkel und die beachtliche Ausbuchtung in seinem Schritt spannten. »Wenn du willst, kann ich auch ein rosafarbenes Tutu tragen«, erklärte er. »Aber ich dachte, das hier gefällt dir vielleicht besser.«

Mel dachte an das Spiegelbild im Fenster. »Das ist nicht deine wirkliche Gestalt, oder?«, sagte sie, um Zeit zu schinden. Vielleicht ließ ja ihre Panik dann nach, und sie konnte wieder klar denken.

Robins Grinsen wurde breiter und böse. »Nein. Nein, natürlich nicht. Gefällt dir diese nicht?« In seinen Worten lag eine so unverhüllte Drohung, dass es Mel die Sprache verschlug.

»Doch, sie ist gut«, knirschte sie. »Bitte, lass mich in Ruhe.«

Lachend schüttelte er den Kopf. Sein Lachen war dunkel und weich wie Ruß. »Du willst doch gar nicht, dass ich gehe, Melanie. Du bist einsam und langweilst dich. Das habe ich schon am Bahnhof gesehen. Und du hast mich gesehen und die Frucht genommen, die ich dir gegeben habe. Na, komm, Melanie. Verschwende keine Zeit. Ich weiß doch, dass du umgerührt werden willst, bevor du anbrennst.«

Mel wurde rot, was sie hasste. »Das ist nicht wahr!«, protestierte sie. »Und außerdem würde ich es mir von dir nicht gefallen lassen!«

Robin verzog das Gesicht und beugte sich mit ausgestreckten Armen über den Gang. »Melanie! Wie lange ist es her, seit du einen heißen Schwanz in dir hattest? Quäl mich nicht! Es ist Hochsommer. Ich habe einen solchen Druck, dass ich eine Elefantenkuh vögeln könnte. Das mache ich vielleicht nachher auch noch. Ich bin so hart, du könntest eine Fahne an meinem Mast aufziehen und salutieren!« Er hob sein Becken an.

Schockiert blickte Mel zu der lesenden Frau, aber sie schien nichts gehört zu haben.

»Hab Mitleid mit mir, Melanie. Ich war die ganze Nacht unterwegs, um einen schönen, harten Fick zu finden. Um Mitternacht bin ich ins Schlafzimmer der Bürgermeisterin geschlüpft, um sie in den fetten Arsch zu vögeln, während sie in ihre Seidenkissen grunzte. Danach habe ich ihrem Mann meinen Schwanz in den Hals gesteckt, während er neben ihr schnarchte. Ich habe nicht weniger als acht glückliche Miezekatzen auf den Dächern dazwischen gehabt; ich war in jedem Club, in jeder Bar in der Stadt. Ich habe es sogar der Statue der Britannia auf dem Bürgerplatz besorgt. Und am Bahnhof habe ich die Putzfrau über ihre glänzenden Kloschüsseln gedrängt und ihr meinen steifen Schwanz reingeschoben. Melanie, ich will doch nur die langweilige Zugfahrt ein wenig verkürzen. Du hast doch auch nichts Besseres zu tun. Ich bin schon völlig verzweifelt, weil mir gleich die Eier platzen.«

Mels Wangen brannten vor Scham. »Du bist abscheulich«, erklärte sie.

»Danke. Ist das nicht genau das, was du jetzt brauchst? Einen guten, harten, dreckigen Fick? Wie lange hast du das schon nicht mehr gehabt? Oder willst du dich auf mein Gesicht setzen und für mich tanzen? Ich könnte mich auch zwischen diese blassen Schenkel hocken und deine pochende Klit lecken, bis ich ertrinke, meine süße Maid. Ich könnte Teile von dir erreichen, die noch nie zuvor eine Zunge verspürt haben. Ich könnte dir meinen Stab so tief in deine schlüpfrige Möse stecken, dass ich an dein Herz stoße. Es wird dir gefallen, das verspreche ich dir. Du wirst mich um immer mehr anflehen, bis dir die Kehle blutet.«

Seine Augen funkelten, und obwohl er grinste, meinte er es todernst.

»Nein«, erwiderte Mel. »Ich bin nicht die, die du willst.«

Blitzschnell war er aus seinem Sitz auf ihren Tisch gesprungen. Sie wich vor ihm zurück und versuchte, die starken Muskeln unter seiner dünnen Kleidung und seine gebräunten, schlanken Hände, die er nach ihr ausstreckte, zu übersehen. Und vor allem mied sie seinen glühenden Blick und seinen hungrigen Mund.

»Du bist genau die, die ich will. Hast du mir denn nicht zugehört?« Ganz sanft berührte er ihre blonden Locken. »Du kannst mich sehen, Melanie. Das ist ein seltener Trick, und er dauert nicht ewig.« Er begann ihre Bluse aufzuknöpfen. »Du kannst mich fühlen, wenn ich dich berühre. Du kannst unter meinen Händen erbeben. Du kannst dich in meinen Armen winden und mir deine Hüften entgegendrängen. Genau dich will ich, meine kleine Pfirsichblüte. Und ich weiß, dass du mich auch willst. Du sehnst dich danach. Ich kann dich riechen.«

Er öffnete ihre dünne, weiße Bluse und musterte ihre Brüste. Dicke Brüste, hatte sie immer gefunden, die in dem einfachen Büstenhalter von M & S wenig bemerkenswert aussahen. Aber als er seine Hände darumlegte, schienen sie vor innerer Hitze zu glühen.

»Süße, kleine Vögel«, murmelte er. Er drückte sie zusammen, um ein weiches, tiefes Tal zu erschaffen, in dem ein Mann versinken konnte. Sie versuchte ihn daran zu hindern, aber seine Handgelenke waren hart wie Eisen. Wärme durchströmte ihre Adern und machte sie schwach. »Oh ja«, sagte er und küsste jede Brust.

Unter Aufbietung all ihrer Willenskraft schob Mel ihn so heftig weg, dass er auf dem Platz gegenüber landete. Er starrte sie aus seinen gelben Augen an. Die Knie hatte er zu beiden Seiten des Kopfes, und seine gewaltige Erektion war zwischen seinen gespreizten Schenkeln deutlich zu sehen.

»Gibt es ein Problem?«, fragte er unschuldig.

»Bastard!«, sagte sie mit bebender Stimme. »Ich will dich nicht. Ich habe einen Freund, und ich bin gerade auf dem Weg zu ihm. Deshalb bin ich überhaupt in diesem verdammten Zug. Fick dich selber.«

Robin kniff die Augen zusammen, aber das Lächeln auf seinen grausamen Lippen erlosch nicht. Er legte seine Hände auf seine Schenkel und umfasste seine Erektion. »Steve«, sagte er langsam. »Ja, ich weiß, du willst ihn besuchen. Du freust dich schon darauf, seit er abgereist ist.«

»Er unterrichtet Englisch in China.«

»Und du hast sechs Monate lang deine Beine zusammengehalten und in schlimmen Nächten in dein Kissen geheult und masturbiert, weil du solche Sehnsucht nach ihm hattest. Und du hast stundenlang überlegt, was du auf dieser Reise anziehen sollst: Es sollte bequem sein, weil du länger als einen Tag unterwegs bist, aber trotzdem wolltest du auch noch schick darin aussehen. Du hast deine Beine rasiert, dein Schamhaar gestutzt und dich gehasst, weil du Trost im Essen gesucht und zugenommen hast. Und du hast dich immer schuldiger gefühlt, weil er dir zwar gefehlt hat, du aber nicht die ganze Zeit an ihn gedacht hast. Der Typ aus der Abteilung für Human Ressources ist wirklich süß, und über ihn hast du häufiger fantasiert als über Steve. Aber du bist ja treu, und jetzt fliegst du zu ihm und hoffst, dass alles gut wird, wenn du bei ihm bist. Tja, Ironie des Schicksals, würde ich sagen«, fuhr er fort, »denn Steve schläft jetzt schon seit drei Monaten mit dieser amerikanischen Lehrerin am College.«

Sie schleuderte ihm ihre schwere Schultertasche ins Gesicht. Er explodierte in einer Wolke von Papier, und unzählige Fetzen des Hochglanzmagazins flatterten zu Boden.

»Ist irgendetwas nicht in Ordnung?«, fragte die Frau mit dem Taschenbuch.

Mel starrte sie verwirrt und beschämt an. Sie stand in einem Papierberg, der Inhalt ihrer Schultertasche war überall verstreut, und ihre Bluse war bis zur Taille offen. Von Robin war nichts zu sehen. Die Frau musterte sie voller Abscheu.

»Entschuldigung«, murmelte sie und versuchte, ihre Bluse zuzuknöpfen. So rasch sie konnte, sammelte sie ihre Habseligkeiten ein und eilte mit Tränen in den Augen den Gang entlang. Sie hatte nur ein Bestreben – so schnell wie möglich diesen peinlichen Ort zu verlassen.

Im nächsten Waggon war aus irgendeinem Grund das Licht abgeschaltet, und die einzige Beleuchtung kam vom grauen Morgenlicht, das durch die Fenster drang. Kein besonders guter Aufenthaltsort. Mel tastete sich durch das Halbdunkel. Plötzlich sauste ein Zug in entgegengesetzter Richtung vorbei, und in dem hellen Aufblitzen sah Mel überall auf den Sitzen ineinander verschlungene, sich windende Körper. Sie schloss die Augen, konnte aber das Stoßen und den scharfen Moschusgeruch nicht aussperren. Als sie sich an einer Rückenlehne abstützte, streiften ihre Finger etwas Weiches, Seidiges. Erschreckt zog sie die Hand weg und taumelte weiter.

Der dritte Wagen war gut beleuchtet. Es saßen einige

Reisende darin, und Mel konnte sich aussuchen, neben wem sie sitzen wollte. Schließlich entschied sie sich für einen Fensterplatz in der Nähe von drei Männern in Anzügen. Sie sahen aus wie die Typen aus dem unteren Management, an die sie aus dem Büro gewöhnt war. Einer von ihnen beobachtete sie, als sie sich setzte, und sie achtete sorgfältig darauf, seinen Blick nicht zu erwidern. Sie wusste, dass sie ein gerötetes Gesicht hatte und ihre Augen in Tränen schwammen. Ein Fremder konnte allerdings nicht erkennen, ob sie wütend oder erregt war.

Sie wusste es selber nicht. Sie hatte Angst, und sie war wütend. Wütend auf Steve, weil er sie betrog. Wütend auf sich selbst, weil sie sich zum Opfer gemacht hatte. Wütend auf Robin. Wütend auf die Geschehnisse um sie herum. Ihr war übel und schwindlig, als ob sie an einem Abgrund stünde. Ihr Geschlecht stand in Flammen, und sie war so nass, dass sie überzeugt war, einen feuchten Fleck auf dem Sitz zu hinterlassen. Am liebsten hätte sie die Hand zwischen die Beine gesteckt und sich gerieben.

»Bastard!«, flüsterte sie leise.

Sie roch Nelken und hob den Kopf. »Hast du mir die Wahrheit gesagt?«, fragte sie. Mittlerweile war es ihr egal, ob jemand zuhörte.

»Über Steve?«, erwiderte Robin hinter ihr. Sie drehte sich um und kniete sich auf ihren Sitz. Er saß zwei Reihen hinter ihr auf der Rückenlehne und zerpflückte einen Kaffeebecher. »Oh ja. Sie heißt Stella. Sie rasiert sich die Muschi, und er liebt es, wenn sie ihn fesselt und ihm den haarigen Arsch versohlt. Hübsches Mädchen. Sie quietscht wie ein Schweinchen, wenn sie kommt. Er hat noch nie irrtümlich deinen Namen gesagt.«

»Scheiße!«, sagte Mel hoffnungslos.

»Na ja«, kommentierte er grausam und blickte auf. »Ich habe noch nie verstanden, warum ihr Menschen immer so wild auf die Wahrheit seid. Meiner Meinung nach ist die Realität viel zu unangenehm, um so wertvoll zu sein.« Er warf den kaputten Becher nach ihr, und als er bei ihr angelangt war, war aus ihm ein kleiner Vogel, wie ein Spatz, geworden, mit schwarzen Knopfaugen und weißen Federn. Er setzte sich auf ihre Hand und beäugte sie. Mel starrte ihn an. Dann drehte sie den Kopf weg und blickte aus dem Fenster.

»Der Zug hält«, sagte sie.

Draußen war die Industrielandschaft in weite Felder übergegangen, die am Fuß des Pennine-Gebirges lagen. Ein Bahnhof war nicht zu sehen. Der Zug hielt in einem schattenhaften Niemandsland.

»Nein, er hält nicht«, erwiderte Robin.

Mel fiel auf, wie still es im Wagen geworden war. Man hörte nicht einmal mehr die Maschine rattern. Sie betrachtete die bewegungslose Szenerie. Eine Eule hing draußen am Fenster, als ob sie am Himmel angenagelt wäre. Nichts bewegte sich. Drinnen im Waggon waren Münder mitten im Satz geöffnet, hing verschütteter Kaffee in Tropfen in der Luft, wellten sich Zeitungsseiten wie Meeresbrandung. Mel trat zu den drei Angestellten. Sie atmeten nicht und starrten mit glasigen Augen vor sich hin. Mel berührte einen an der Wange, und seine raue Haut fühlte sich unter ihren Fingern hart wie Holz an.

»Können sie mich sehen?«, fragte sie.

»Dafür bewegst du dich viel zu schnell«, erwiderte Robin.

Sie drehte sich um, setzte sich auf den Tisch der Manager und zog ihren Rock bis zur Taille hoch. »Worauf wartest du dann noch?«, fragte sie.

Wortlos sprang er von der Rückenlehne, zog sein T-Shirt aus und warf es zu Boden. Der weiße Stoff rollte sich zu einem Rohr zusammen, aus dem ein fauchender Hermelin wurde, der unter die Sitze huschte. Die schwarzen Leggings verwandelten sich in Flügel, die an eine Garderobe flogen und sich dort aufhängten. Nackt war er braun wie eine Haselnuss, ein bisschen zu haarig um Beine und Lenden, und mit einem Waschbrettbauch, der sich zu einem Glied verjüngte, das einem jungen Hengst angestanden hätte. Von Adern durchzogen, dunkel und samtig ragte es auf. Mel stockte der Atem. Er fuhr einmal mit der Hand über seinen Schaft, als wolle er ihn einstimmen. Sofort wurde er sichtbar dicker und steifer.

Sie versuchte zu lächeln, als er näher trat und stolz vor ihr stehen blieb. Seine Augen waren sogar noch härter als sein Schwanz. Sie legte die Hand auf die seidige Haut an seiner Hüfte, einfach nur, um sich zu vergewissern, dass er real war. Lächelnd reckte er sich unter ihrem Griff. So einen perfekten Körper hatte sie noch nie gesehen, und er erschreckte sie. Als sie seine Pobacken berührte, stellte sie fest, dass sie steinhart waren.

Sein Atem ging jetzt rasch und flach. Ohne Zeit zu verlieren, knöpfte er ihre Bluse auf, befreite ihre Brüste von dem weißen Baumwoll-Büstenhalter und kniff in ihre rosigen Nippel. Sie wimmerte, als das Feuer durch ihre Brüste schoss. Er drückte sie um seinen erigierten Schwanz zusammen.

»Oh«, sagte sie mit schwacher Stimme, als er ihre üppigen Kugeln an der Härte seines Geräts knetete. Automatisch glitten ihre Hände zu seinem Hintern herunter. Plötzlich riss sie die Augen auf.

»Was ist das denn?«, zischte sie.

Er ließ sie los und zog spöttisch eine Augenbraue hoch, als er sich langsam umdrehte. Sie biss sich auf die Lippen. Er war kein Mensch. Sein ganzer Rücken war mit einer dichten Mähne behaart, die am Ansatz seines Hinterteils, oberhalb der Ritze, in einen lockigen Schwanz überging. Es war kein langer, buschiger Schweif, nur ein Stummelschwänzchen.

Mel schluckte ihre Angst herunter und stand auf, um ihm über den Rücken zu streicheln. Die seidige, unbehaarte Haut unter dem kleinen Schwanz massierte sie mit den Fingerspitzen, bis er erschauerte und sie wieder gegen den Tisch drängte. Er packte ihre Hand und schloss ihre Finger um seinen Schaft, der so dick war, dass sich ihr Daumen und Zeigefinger nicht trafen.

»Das willst du«, grollte er.

»Besorg es mir zuerst mit deiner Zunge«, erwiderte sie heiser.

Sofort sank er auf die Knie, zog ihr das Höschen herunter und warf das völlig durchnässte Kleidungsstück den ganzen Gang entlang. Er schnüffelte sich durch ihren Busch wie ein Hund, der Trüffel suchte. Mel hielt sich an der Tischkante fest, spreizte die Beine und legte sie ihm über die Schultern. Sein heißer Mund verschmolz mit ihrer feuchten Wärme, sie spürte, wie seine Zähne an ihrer Klitoris knabberten, und stöhnte laut. Seine Zunge erforschte die Falten ihrer Muschi, und als er den Weg durch das Dickicht zu ihrer Höhle gefunden hatte, trank er gierig aus ihrem Brunnen. Sie griff in seine Haare, sank jedoch zurück auf den Tisch, wo die Manager sie aus blicklosen Augen von beiden Seiten anstarrten.

Und obwohl sie normalerweise auch beim wildesten Orgasmus keinen Laut von sich gab, kam sie schreiend.

Robin war jedoch noch nicht fertig mit ihr. Noch während die Wellen des Orgasmus über ihr zusammenschlugen, spürte sie, wie seine Zunge in ihre Spalte glitt, während seine Lippen und Zähne mit ihrer pochenden Klit spielten. Die Zunge füllte sie aus, dick wie ein Aal und auch genauso lang, ein unmenschliches Organ, das sich durch die Tiefen ihres inneren Labyrinths schlängelte, während er am Eingang saugte und lutschte. Sie krallte die Finger in seine Locken und presste seinen Kopf an sich, während er direkt durch sie hindurchzustoßen schien. Immer noch tiefer drückte sie ihn hinein, bis sie schließlich einen noch nie erlebten Höhepunkt erreichte.

Als er sich aus ihr zurückzog und ihre Beine von seinen Schultern nahm, erlangte sie das Bewusstsein wieder. Zufrieden mit seinem Werk betrachtete er sie, wobei er sich den Mund mit dem Unterarm abwischte. Mit der anderen Hand zog er ihre geschwollenen Schamlippen auseinander.

»Ich glaube, du kannst ihn jetzt aufnehmen, mein süßes Fohlen, oder?«, sagte er und packte seinen Stab wie eine Waffe.

»Nein!« Er war riesig. Er würde sie auseinander reißen. Er gehörte nicht in eine menschliche Frau. Panik stieg in ihr auf.

»Doch, du kannst.« Seine Stimme war ruhig und gnadenlos. »Du musst. Ich stecke ihn dir hinein, und du wirst jeden Zoll aufnehmen.«

Aus der Spitze seines Glieds trat eine klare Flüssigkeit aus, und da auch ihre Möse nass war, glitt der Schaft zunächst mühelos hinein.

»Siehst du«, flüsterte er und arbeitete sich weiter vor. »Es tut nicht weh, meine Taube. Du kannst ihn aufnehmen. Ja, so ist es gut. Öffne dich. Ja.«

»Nein!«, keuchte sie. Sie hatte das Gefühl, aufgespießt zu werden. »Oh Gott, er ist zu groß! Es tut weh!«

»Nur noch einen Moment lang. Öffne dich für mich.« Seine Augen waren goldene Schlitze.

»Himmel, er ist riesig. Ich kann nicht. Ich kann einfach nicht!«, flehte sie ihn an. »Hör bitte auf.«

»Ich kann nicht aufhören, meine Schöne«, grunzte er und beugte sich über sie. »Oh ja, du bist so eng. Eng wie ein Fohlen. Du kannst meinen schönen Schwanz aufnehmen. Du willst ihn. Ich gebe ihn dir ganz.«

Seine Finger kreisten um ihre Klitoris, und aus der Qual wurde Lust. Sie schrie auf. Und immer noch drang er in sie ein, bis sie seine ganze Länge aufgenommen hatte und ihr die Tränen übers Gesicht liefen.

»Jetzt ist er ganz drin«, flüsterte er. Der Schweiß lief ihm über die Brust und den Bauch. »Das Schlimmste ist vorbei. Und jetzt werde ich dich ficken, mein kleines Fohlen.«

Sie schrie vor Entsetzen auf, und er begann sich in ihr zu bewegen, zog seinen dicken Schaft aus ihrem gedehnten Loch heraus und stieß ihn wieder hinein, immer wieder. Aber er hatte die Wahrheit gesagt: Es tat zwar immer noch ein bisschen weh, war aber längst nicht so schmerzhaft wie das erste Eindringen, und außerdem war er sehr vorsichtig. Bald wurde Mels Stöhnen weicher und rhythmischer, und dann stieß sie wilde Lustschreie aus. Er grunzte nur einmal auf, als er in sie abspritzte, und seine Finger gruben sich so fest in die Haut ihrer Hüften, dass sie bestimmt blaue Flecken bekommen würde.

Als er aus ihr herausglitt, weinte sie immer noch, hauptsächlich vor Schock und Erleichterung. Aber er war so groß, dass sie sich völlig leer fühlte, als sein Schwanz nicht mehr in ihr war.

Robin kratzte sich die schweißüberströmte Brust und fuhr Mel liebevoll durch die Haare. »Das war gut, was, Pfirsichblüte?«, fragte er.

»Hmm«, grunzte Mel. Sie zitterte am ganzen Leib.

»Zieh dich rasch an. Denk daran, die Zeit steht für keinen Mann still. Und auch nicht für eine Frau.« Überraschend beugte er sich vor und küsste sie auf den Mund. Dann drehte er sich lächelnd um und war in einem Wimpernschlag verschwunden.

Mel huschte an ihren Platz und zog sich mit zitternden Fingern Büstenhalter und Bluse wieder an. Betont nonchalant blickte sie aus dem Fenster und sah zu, wie die Eule in der Dunkelheit verschwand, während der Zug weiterfuhr. Sie versuchte, ruhig zu atmen und ihre Gedanken zu ordnen.

Sie war auf dem Weg zu einem Flug, den sie gar nicht mehr bekommen wollte. Sie hatte bis zur Besinnungslosigkeit gevögelt, und sie hatte keine Ahnung, wo ihr Höschen war, obwohl sie vermutete, dass jemandem im Waggon eine Überraschung bevorstand. Sie konnte noch nicht einmal zur Zugtoilette gehen, ohne Verdacht zu erregen, und sie würde wahrscheinlich eine Woche lang nicht stehen können. Aber sie fühlte sich besser als jemals zuvor in ihrem Leben.

Ihre Hand ertastete etwas Hartes zwischen dem Sitz und der Wand. Es war ein lebensgroßer Spatz aus filigranem Silber mit Jett-Augen. Mel starrte hinaus in die Dämmerung des Sommermorgens und schüttelte sich vor Lachen.

Copyrightvermerke

Ashbless, Janine. »Midsummer Madness« (Heißer Wahnsinn), © 2000.

Black, Stella. »Size, and Other Matters« (Größe und andere Probleme), © 2000.

Charles, Renée M. »Slow Dance on a Lace Lap« (Ein ganz besonderer Striptease), © 2000.

Da Costa, Portia. »Incentives« (Belohnungen), © 2000.

Fisher, Kitty. »Pleasure Proven« (Lusterprobt), © 2000.

Flyte, Tabitha. »The Chef's Revenge« (Die Rache des Kochs), © 2000.

Harris, Wendy. »Bringing It Back« (Alles kommt wieder), © 2000.

Lyonesse, Marissa. »Furry Delights« (Pelzige Freuden), © 2000.

Maxwell, Mary Rose. »The Earth Mother« (Mutter Erde), © 2000.

McCabe, Catharine. »Saving Julie« (Rettet Julie!), © 2000.

Michaels, Rowan. »Bitch for an Evening« (Hündin für einen Abend), © 2000.

Russell, Robyn. »One of the Boys« (Einer von den Jungs, © 2000.

Sherwood, Fransiska. »Warrior God« (Kriegsgott), © 2000.

Stanley, Debbie. »At the Dance« (Beim Tanz), © 2000.

Walker, Saskia. »Laying Down One's Cards« (Kartenspiel), © 2000.

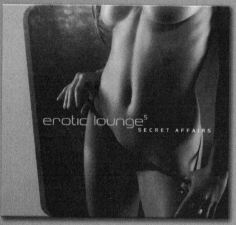

erotic lounge⁵
SECRET AFFAIRS

ENTEDCKEN SIE EROTISCH PRICKELNDE LOUNGEPERLEN AUF 2CDs, FÜR EINEN ANREGENDEN ABEND ZU ZWEIT.

ERLEBEN SIE GENUSSVOLLE STUNDEN MIT SARAH MC LACHLAN (IM THIEVERY CORPORATION MIX), JAZZAMOR, MOCA, MOODORAMA, NIGHTMARES ON WAX, HACIENDA, LYAMBIKO U.V.M.

MATADOR | SONY BMG MUSIC ENTERTAINMENT | comfort-sounds.de